Nur im Alleinsein können wir uns
selber finden.

    Hermann Hesse

Christoph-Maria Liegener

Ein ganz besonderer Mensch

Satirischer Roman

Zweite Auflage

© 2019 Christoph-Maria Liegener

Verlag und Druck:
tredition GmbH
Halenreie 42, 22359 Hamburg
Cover-Bild: Shutterstock

ISBN:

978-3-7482-6600-6 (Paperback)
978-3-7482-6601-3 (Hardcover)
978-3-7482-6602-0 (e-Book)

Inhalt

Vorwort

Die Geschehnisse in diesem Buch sind frei erfunden. Es handelt sich um einen satirischen Roman, angereichert mit einigen Fantastereien. Jegliche Ähnlichkeiten mit tatsächlichen Ereignissen, Personen oder Institutionen wären rein zufällig.

Wohl aber werden einige nur allzu menschliche Verhaltensweisen genüsslich aufs Korn genommen, dies jedoch in aller Allgemeinheit. Der Einzelne mag dennoch irgendetwas aus seinem Leben wiedererkennen und vielleicht sogar etwas mitnehmen.

Christoph-Maria Liegener

Das macht doch Spaß!

Kurt betrat die Kaffeeküche und grüßte. Schlagartig verstummten alle Gespräche. Sein Gruß war offenbar wahrgenommen worden, gleichwohl blieb er unbeantwortet. Es gab allerdings weitere Reaktionen, nämlich die, dass alle sich abwandten und die kleinen Grüppchen von Leuten, die gerade ins Gespräch vertieft dort herumstanden, sich zerstreuten und den Raum verließen.

Das war nichts Neues. So geschah es jedes Mal, wenn Kurt einen Raum betrat: Alle Anwesenden verließen ihn. Es war, als ob er aussätzig wäre. Eine Ausnahme stellten nur die offiziellen Meetings dar, bei denen Anwesenheitspflicht herrschte. Notgedrungen, wenn auch zähneknirschend, mussten die Mitarbeiter seine Gegenwart ertragen, hielten aber so viel Abstand wie möglich.

Alles ließ darauf schließen, dass die Gemeinschaft der Firmenangestellten beschlossen hatte, Kurt mit der Nase darauf zu stoßen, dass er nicht zu ihnen gehörte. Das festigte im Gegenzug ihr eigenes Zusammengehörigkeitsgefühl. Hinzu kam, dass es den meisten von ihnen einfach Spaß machte. Eigentlich waren sie selbst arme Schweine, denen es guttat, wenn es anderen noch schlechter ging als ihnen.

Nun, da irrten sie sich allerdings. Kurt ging es nicht schlechter. Ihn störte es nicht, wenn er geschnitten wurde. Nicht dass er die Meute verachtete, was nur natürlich gewesen wäre. Nein, er beachtete sie kaum, nahm sie nicht wichtig. Er brauchte sie einfach nicht und wusste aus Erfahrung, dass die Nähe zur Masse Gefahren barg. Turbam fuga!

Dadurch, dass er die Feindseligkeiten der anderen schlicht ignorierte, provozierte er sie natürlich noch mehr. Sie würden es ihm schon noch zeigen! Tausende Sticheleien hatten sie in petto.

So verabredeten sie, ihm bei den Meetings regelmäßig ins Wort zu fallen, wenn er etwas sagen wollte. Dabei wechselten sie sich ab, in der Hoffnung, dass es nicht auffallen würde. Das wirkte schon besser als das Raum-Verlassen. Kurt konnte sich bei den Meetings kaum noch Gehör verschaffen. Allerdings konterkarierte er diesen Schachzug damit, dass er außerhalb der Meetings in Zweiergesprächen mit den Chefs seinen Standpunkt klarmachte. Die Chefs kannten seine Kompetenz und hörten ihm zu. Dadurch allerdings kam Kurt bei den Mitarbeitern in den Ruf, sich bei den Chefs lieb Kind zu machen.

Davon konnte natürlich keine Rede sein. Es ging bei diesen Gesprächen immer nur um Sachfragen. Im Gegensatz dazu ließen die Mitarbeiter ihrerseits keine Gelegenheit aus, ihn bei den Chefs anzuschwärzen. Die Chefs wiederum durchschauten solche schmierigen Manöver sofort. Ihre Missbilligung behielten sie jedoch für sich und ließen die Sache laufen. Solange es keine offenen Konflikte gab, wollten sie ihre Ruhe haben.

So suchten die Mitarbeiter nach immer weiteren Möglichkeiten, Kurt eins auszuwischen. Dauernd läutete sein Diensttelefon, ohne dass sich jemand meldete, wenn er es aufnahm. Das war harmlos, aber nervend.

Bei gewissen Gelegenheiten – wie Rosenmontag und Nikolaustag – verabredeten die Mitarbeiter, alle kostümiert zur Arbeit zu kommen. Kurt erfuhr als Einziger nichts davon und kam normal gekleidet. Zwar fiel er dadurch auf, aber es störte ihn nicht. Er fühlte sich wie immer: als der einzige Normale in einem Irrenhaus. Außerdem war es so immer noch besser als umgekehrt, nämlich, wenn sie ihn sich als Clown hätten verkleiden lassen und selbst nicht kostümiert erschienen wären.

So stichelten sie fortwährend und Kurt ließ sie immer wieder ins Leere laufen.

Das entwickelte sich zu einem langanhaltenden Spiel; denn die Mitarbeiter hatten einen diebischen Spaß daran, sich jeweils neue Schikanen für Kurt auszudenken. Dieser wiederum kümmerte sich nicht darum; er kam gut ohne die sogenannten

Kollegen zurecht. Er wusste genau, wo seine wirklichen Aufgaben lagen. Diese erledigte er gewissenhaft und effektiv.

Selbst seine Neider konnten seine Fähigkeiten als Macher nicht leugnen.

Wenn Kurt auch keine privaten Gespräche führen konnte, so kam es doch immer wieder zu fachlichen Gesprächen mit Mitarbeitern. Seine Kompetenz brachte es mit sich, dass sein Rat gesucht war. Auch in solchen Situationen musste er auf kleine Spitzen gefasst sein. Wer immer vorbeikam, ließ es sich nicht nehmen, seinen Gesprächspartner anzusprechen, Kurt dabei, so gut es ging, den Rücken zuzukehren und ihn demonstrativ zu ignorieren.

Wie gesagt kam Kurt fachlich gut mit seiner Arbeit zurecht. Trotzdem kostete es ihn etwas psychische Kraft, den ganzen Tag ohne menschliche Gespräche auszukommen. Selbst wenn der eine oder andere Mitarbeiter sich ganz gerne mit ihm unterhalten hätte, wagte doch keiner, sich ohne zwingenden Grund dem Paria zu nähern – aus Angst, selbst Strafmaßnahmen der Gemeinschaft erleiden zu müssen.

Kurt brauchte die anderen nicht für irgendwelche belanglosen Gespräche.

Hier kam ihm ein Umstand zu Hilfe, der tatsächlich etwas merkwürdig wirken könnte. Er hörte nämlich innere Stimmen und unterhielt sich im Stillen mit ihnen. Dabei achtete er darauf, nicht die Lippen zu bewegen, um nicht noch mehr als Sonderling zu gelten.

Er hielt diese Stimmen für die Stimmen von Engeln, die ihn unterstützen wollten. Als schizophren konnte man ihn deswegen noch lange nicht bezeichnen. Auch Robinson Crusoe hatte im Roman auf der einsamen Insel Selbstgespräche geführt. Das war doch ganz normal, wenn man sonst keinen Gesprächspartner hatte! Natürlich ging es auch darum, wie real diese Stimmen waren und ob sie ihn zu Handlungen zwangen, die er eigentlich nicht vornehmen wollte. Hier bestand aber keine Gefahr. Kurt wusste durchaus, dass die Stimmen nicht real waren. Indes wünschte er sich – gläubig, wie er war – insgeheim schon, Botschaften von höheren Mächten zu empfangen. Diesem Wunschdenken entsprang seine Deutung der Stimmen als engelhaft.

Als in irgendeiner Weise belästigend empfand er die Situation überhaupt nicht. Die Stimmen machten ihm Mut, gaben ihm auch manchmal Ratschläge. Er hatte gute Erfahrungen damit gemacht, ihnen zu folgen. Gezwungen fühlte er sich nie.

Die Ursachen

Wie hatte es eigentlich dazu kommen können, dass Kurt so zum Außenseiter geworden war?

Rein äußerlich machte ihn nichts dazu. Er war recht unauffällig, eher klein als groß, allerdings kräftig gebaut, hatte rote lockige Haare über einem blassen Gesicht mit Sommersprossen. Seine Bewegungen wirkten etwas schlaksig, nicht raumgreifend. Meist stand er am Rand. Richtig unsympathisch wirkte er nicht, zwar etwas still, aber oft mit einem Lächeln im Gesicht.

Er ging offen auf seine Mitmenschen zu, kontaktfreudig, aber fast ein bisschen zu vertrauensselig, obwohl er doch im Lauf der Zeit Antennen dafür entwickelt haben müsste, ob der Kontakt Gefahren für ihn barg, ob er überhaupt erwünscht war oder nicht. Normalerweise war er unerwünscht. Leicht wurde seine Offenheit als Aufdringlichkeit ausgelegt. So galt er als aufdringlich, wenn er auf die anderen zuging. Umgekehrt wurde ihm nachgesagt, verschlossen zu sein, wenn er sich zurückhielt. Richtig machen konnte er es nie.

Da keiner mit ihm sprach, kannte er sich mit den umlaufenden Gerüchten nicht aus und konnte zu Gesprächen, wenn er versehentlich mal in eines einbezogen werden sollte, nicht viel beitragen.

So geriet er in den Ruf, ein Unterhaltungsmuffel zu sein. Dazu trug auch seine Pedanterie bei, die ihn dazu zwang, selbst bei zwanglosen Unterhaltungen alle Inkorrektheiten zu korrigieren. Das galt nicht nur für die sogenannte „Political Correctness", sondern auch für die grammatische. Wenn jemand „wegen" mit dem Dativ statt mit dem Genitiv gebrauchte, konnte er sicher sein, von Kurt zurechtgewiesen zu werden, obwohl diese ursprünglich falsche Version inzwischen so verbreitet ist, dass selbst der Duden sie als Nebenform gelten lässt. Diese Pingeligkeit könnte man noch mit Kurts strengen Erziehung im Sprachgebrauch entschuldigen. Schlimm wurde es allerdings, wenn Kurts Einwände auf seine eigene Begriffsstutzigkeit zurückzuführen waren.

Das war beispielsweise der Fall, als er noch menschlich akzeptiert war und bei Gelegenheit ein Kollege zu einem Kurzwitz ansetzte, indem er vielversprechend begann:

„Kommt eine Frau beim Arzt ...",

worauf Kurt lostrompetete:

„Es heißt: Kommt eine Frau zum Arzt ..."

Schallendes Gelächter.

In diesem Fall hätte man Kurt sogar als dankbaren Zuhörer bezeichnen können, der die Pointe auf den Punkt gebracht hatte, ohne es überhaupt zu merken. Er wurde damit zur eigentlichen Zielscheibe des Gelächters.

Auch kein Beinbruch. Damals jedenfalls. Was für später in Erinnerung blieb, war seine Einfältigkeit. Auf diese kann man verschieden reagieren: mit wohlwollender Heiterkeit oder mit beißendem Spott. Irgendwann waren die Reaktionen von der ersteren Art in die letztere umgeschlagen.

Konnte überhaupt die Ansammlung solcher Kleinigkeiten Ursache einer Ausgrenzung sein? Wohl kaum. Selbst die Unterstellung, nicht unterhaltsam zu sein, bedeutet doch im Allgemeinen nicht automatisch, aus der Gemeinschaft ausgeschlossen zu sein. Es gab natürlich den Andorra-Effekt: Die Erwartungshaltung, dass die Unterhaltung mit ihm schwierig sein würde, führte dazu, dass alle sich verkrampften und die Unterhaltung tatsächlich schwierig wurde. Es handelte sich um die klassische selbsterfüllende Prophezeiung. Aber auch das erklärte nichts – es gibt zahlreiche Beispiele von wortkargen Menschen, die durchaus beliebt sind.

Nein, an seinem Äußeren lag es nicht und auch nicht an seinem Verhalten. Solche Außenseiterrollen entwickeln sich meist im Lauf der Zeit, schleichend, aber umso unerbittlicher. Erst einmal in so einer Rolle gefangen, kommt man kaum noch heraus. Das ist ähnlich wie beim Broken-Windows-

Effekt: Wenn bei einem abgestellten Auto erst eine Scheibe eingeschlagen ist, folgen bald weitere Vandalismusschäden. Wenn erst einmal soziale Übergriffe ohne merkliche Konsequenzen bleiben, glaubt jeder, auch eine Chance zu haben, seinen Unmut an dem Opfer auszulassen. Es entwickelt sich ein Herdentrieb, auf den Ausgestoßenen einzuprügeln. Das ließe sich nur durch konsequente Ahndung stoppen. Dazu war es in Kurts Fall längst zu spät. Der Zug war abgefahren.

Wie war in Fahrt gekommen?

Um ganz am Anfang zu beginnen: Es hatte mit Kurts Herkunft zu tun. Seine Mutter war in einer Klosterschule erzogen worden. Kurz vor ihrem Abitur verliebte sie sich in einen ihrer Lehrer, einen jungen Pater. Sie bat ihn immer öfter um Beratungsgespräche und kam ihm auf diese Weise näher. Wie das Schicksal es wollte, erwiderte der Pater nach einiger Zeit ihre Liebe.

Eine kurze Romanze folgte, an deren Ende die inzwischen volljährige Schülerin schwanger war und der junge Pater reumütig zum Zölibat zurückkehrte. Die werdende Mutter wollte ihrem Geliebten nicht den von ihm gewählten Weg verbauen und verschwieg seinen Namen bei der Frage nach der Vaterschaft.

In der engen Dorfgemeinschaft wurde zur damaligen Zeit dieser Zustand nicht akzeptiert und sie zog in die Stadt, um dem Druck zu entgehen. Sie empfing ihren Sohn – Kurt – dort und schlug sich mehr schlecht als recht durch.

Da sie eine ausgesprochene Schönheit war, fiel sie irgendwann einem Abteilungsleiter der Fabrik, in der sie arbeitete, auf. Dieser heiratete sie schließlich und sie gebar ihm zwei Söhne.

Nunmehr hatte Kurt einen Stiefvater, der ihn nicht leiden konnte, und zwei Halbbrüder. Im Grunde die klassische Aschenputtel-Konstellation: Der Stiefvater bevorzugte seine eigenen Söhne und behandelte Kurt als unerwünscht.

Der gutmütige Junge bemerkte das zunächst nicht einmal. Als der ältere Bruder half er, auf seine kleinen Geschwister aufzupassen. Bei gemeinsamen Spaziergängen gehörte es zu seinen Aufgaben, die beiden an den Händen zu nehmen, einen rechts, einen links, und hinter den Eltern herzugehen. Kurt fühlte sich für die beiden verantwortlich und sorgte liebevoll für sie. Sie dankten es ihm mit Zutrauen. Mit kleinen Problemchen kamen die Brüder meist zu ihm, erst wenn es schwieriger wurde, gingen sie zu ihren Eltern. Das ging lange gut und die drei Brüder verstanden sich ausgezeichnet.

Während die jüngeren Brüder sich später nicht an diese Zeit erinnern konnten, blieb bei Kurt die Geschwisterliebe ein Leben lang zurück.

Die Schwierigkeiten begannen, als die jüngeren Brüder mit der Zeit alt genug wurden, mit Kurt zu streiten. Streitigkeiten zwischen den Kleinen und dem Großen waren bald an der Tagesordnung. Schnell merkten die Jüngeren, dass sie immer

Recht bekamen, wenn sie zu ihrem Vater liefen. Genauso schnell erkannte Kurt, dass er in solchen Fällen keine Chance hatte.

Der Stiefvater stellte die entscheidende Instanz in der Familie dar. Er glaubte, besondere Rechte zu haben. Diese begründete er mit der Tatsache, dass er, wie er sich einbildete, seine Frau aus dem Zustand der „Schande" als alleinerziehende Mutter eines unehelichen Kindes gewissermaßen „gerettet" hatte, indem er sie sozusagen zur „anständigen Frau" gemacht hatte. Das ließ er sich heraushängen, und dafür wollte er Dankbarkeit. Der dominante Choleriker tyrannisierte seine Familie, worunter Kurt am meisten zu leiden hatte.

Während Kurts Mutter ihren Kindern immer wieder geraten hatte: „Haltet zusammen! Helft einander", trichterte der Vater den jüngeren Brüdern ein: "Lasst euch nichts von Kurt gefallen! Haltet euch fern von ihm!" Kurt hingegen warnte er: „Lass Martin und Max in Ruhe! Sie wollen dich nicht!"

Es wurde schleichend schlimmer, bis die Lawine ins Rollen kam. Im Lauf der Zeit lernte Kurt, dass er zu Hause als minderwertig galt. Ferner musste er erstmals die Erfahrung machen, einer Gemeinschaft nicht mehr anzugehören. Dafür bildete er die Fähigkeit aus, sein Schicksal zu erdulden.

Das Dulden konnte als seine große Stärke angesehen werden und das blieb so. Gern nahm er sich später Odysseus, den großen Dulder, zum Vorbild, wenn es wieder einmal darum ging, einem aussichtslosen Kampf aus dem Weg zu gehen oder auch nur irgendwelche Rangkämpfe nicht auszufechten. Dabei störte ihn die Missachtung seiner Person durchaus. Nur hielt er nichts von den üblichen Macht- und Drohgebärden. Er wollte aufgrund seiner wahren Qualitäten respektiert werden, wozu es allerdings nie kam.

In der Schule zeigte sich, dass er, wenn es sein musste, auch kämpfen konnte und dann mit vollem Einsatz bei der Sache war. Da er kräftig war, konnte er sich seinerzeit behaupten.

Irgendwann jedoch hatte er für sich entschieden, sich nicht mehr auf die kleinli-

chen Rangeleien mit Altersgenossen einzulassen. Er wusste, was er wert war und
brauchte sich das nicht durch Rangkämpfe
zu beweisen. Den anderen etwas zu beweisen, interessierte ihn erst recht nicht. Diese
Autonomie war ihm von seiner Mutter an-
erzogen worden, ein Erziehungsziel, das
wiederum wohl aus einem gewissen Stolz
der Mutter auf ihren Sohn resultierte.

War es gut für ihn? Darüber könnte man
streiten. Mag sein, dass es ihm eine gewisse
psychische Stabilität garantierte. Andererseits führte es auch wieder zu ganz eigenen
Problemen. Da Rangordnungen grundle-
gend für jegliche sozialen Gefüge sind, geriet seine Sozialisation in Schieflage. Da er
dem abermals keine Bedeutung beimaß,
verstärkte sich seine Isolation.

Es gibt verschiedene Weisen, wie Menschen mit systematischer Benachteiligung
umgehen können. Die einen entwickeln
Minderwertigkeitsgefühle und werden be-
dürftig nach der Anerkennung, die ihnen

vorenthalten wird. Das ergeht vor allem extrovertierten Charakteren so. Mit ihrem Bedürfnis nach Anerkennung gehen sie später, wenn die Benachteiligung eventuell schon lange der Vergangenheit angehört, ihren Mitmenschen gehörig auf die Nerven.

Die anderen entwickeln einen Schutzpanzer und werden autark, unabhängig von der Anerkennung anderer. Diesen Weg gehen eher die introvertierten Menschen. Zu letzteren gehörte auch Kurt. Er steckte sein Schicksal weitgehend unbeeindruckt weg.

Trotzdem konnte es einem aufmerksamen Beobachter kaum entgehen, dass er es unnötig schwer hatte. Seine Mutter versuchte, ihm zu helfen, so gut sie konnte.

„Du bist ein ganz besonderer Mensch", gab sie ihm immer wieder mit auf den Weg. Da war es wieder: dieses Erziehungsziel der Selbstherrlichkeit, aus Liebe geboren und doch zum zweischneidigen Schwert geeignet. Kurt empfand es so, wie es gemeint war, und kannte es nicht anders. Seine Mutter war der wichtigste Mensch in seinem Leben. Daher verinnerlichte er ihre Worte und nahm sie ernst.

Dass Kurt von seinem Stiefvater benachteiligt wurde und sich infolgedessen mit seinen Geschwistern bald nicht mehr gut verstand, bemerkte seine Mutter durchaus und versuchte, den Missstand mit guten Worten zu korrigieren, indem sie alle drei Söhne um sich versammelte und ihnen ins Gewissen redete:

„Dass ihr drei euch gegenseitig zu Geschwistern habt, ist das größte Geschenk, das ich euch machen kann. Denkt immer daran! Kurt, du bist der Älteste und trägst Verantwortung für deine Brüder. Sorge immer für sie! Martin und Max, ihr seid die jüngeren Brüder. Folgt immer eurem älteren Bruder und unterstützt ihn!"

Dabei segnete sie ihre Kinder, indem sie ihnen mit dem Daumen kleine Kreuzzeichen auf die Stirn machte.

Solche und ähnliche Ermahnungen ließ
sie ihnen ab und zu auch einzeln zukom-
men.

Dies war das Vermächtnis ihrer Mutter.
Leider sollte es missachtet werden.

Kurt, der seine Mutter sehr verehrte,
nahm ihre Worte ernst und beherzigte sie.
Die jüngeren Brüder ließen dagegen noch
ein wenig die Reife vermissen. Sie empfan-
den die Ansprache eher als eine Strafpre-
digt wegen ihres ungebührlichen Verhal-
tens, weniger als ein Vermächtnis ihrer
Mutter. Sie ließen die Ansprache über sich
ergehen, ohne ihr besondere Beachtung zu
schenken. Sie wussten ihren Vater immer
auf ihrer Seite, wenn sie Streit mit Kurt an-
fingen, und nutzten das weidlich aus.

Viel zu früh starb die Mutter an einer
Krebserkrankung und Kurt war ganz allein.

Sein leiblicher Vater konnte sich ihm
nicht offenbaren. Immerhin beobachtete er
ihn aus der Ferne.

So blieb Kurt unter der Knute seines Stiefvaters, der nun völlig ungebremst seinen Stiefsohn schikanieren konnte. Er ging sogar so weit, seine leiblichen Söhne explizit zu instruieren:

„Martin, Max, ihr seid meine wirklichen Söhne. Kurt hat in unserer Familie nichts zu suchen. Ihr beiden seid meine Erben. Kurt wird nur den Pflichtteil des offenliegenden Vermögens erben. Der größere Teil des Vermögens liegt verborgen in der Schweiz auf einem Nummernkonto und geht unter der Hand an euch. Die Unterlagen findet ihr im Tresor. Die Kombination kennt ihr."

Ja, sie kannten sie – im Gegensatz zu Kurt. Die Worte ihres Vaters standen im direkten Widerspruch zu den früheren Ermahnungen ihrer Mutter, was die Geschwistersolidarität betraf. Trotzdem dachten die Söhne nicht daran zu protestieren, obwohl man das eigentlich hätte für angebracht halten können.

Es handelte sich ja um eine offene Missachtung des verbalen Vermächtnisses ihrer Mutter. Hierbei ging es nicht in erster Linie um ein materielles Erbe, bei dem der Zwischenerbe mit seinem Anteil nach Gutdünken verfahren konnte. Es ging um menschliche Beziehungen und beide Verfügungen zu diesem Thema standen gleichberechtigt nebeneinander. Die späteren Einlassungen des Vaters konnten nicht automatisch jene der Mutter außer Kraft setzen.

Die Tatsache, dass die Mutter tot war, der Vater aber noch lebte, änderte diese Sachlage nicht. Im Gegenteil: In dieser Situation hätte der Vater, ganz anders als die Mutter, seine Meinung noch ändern können, um Einigkeit herzustellen, und das wäre angebracht gewesen. Dass die Aussagen der Mutter moralisch richtig waren, die des Vaters aber falsch, stand wohl außer Frage.

So viele Gedanken machten sich Martin und Max aber nicht. Sie waren gewohnt, ihrem Vater zu gehorchen und in diesem Fall waren sie mit dem, was er sagte, mehr als einverstanden. Es entsprach ja genau ihrer Auffassung und bisher gängigen Praxis. Also ließen sie die Aussagen des Vaters

stehen und entschieden sich für sein Vermächtnis und gegen das ihrer Mutter.

Kurts Stiefvater verhielt sich falsch und
führte seine Söhne auf einen falschen Weg.
Warum folgten sie ihm so lange? Menschen
machen Fehler, aber Menschen können
Fehler auch korrigieren. Trägt man eine
falsche Entscheidung zu lange mit, macht
man sich mitschuldig. Kein Zweifel: Martin
und Max luden Schuld auf sich. Sie konnten das irgendwann nicht mehr einfach auf
ihren Vater abwälzen. Die Erfüllungsgehil-
fen eines falschen Befehls wurden Mittäter.

Man mag die Anfänge der Entwicklung
als Jugendsünden ansehen, aber irgendwann hätte es zur Umkehr kommen müssen. Cicero sagte: „Cuiusvis hominis est
errare, nullius nisi insipientis in errore per-
severare."

Wie dem auch sei, so war nun einmal
die Realität.

Damit waren die Weichen endgültig gestellt. Kurts Leben wurde ihm nun noch schwerer gemacht.

Harmlos waren noch Bemerkungen wie:

„Was hast du denn da Ekliges im Gesicht? ... Ach, das ist ja deine Nase!"

Schlimmer wurde es, wenn der Junge mal eine schlechte Note von der Schule mit nach Hause brachte. Er konnte sich schon auf die sarkastische Bemerkung seines Stiefvaters freuen:

„Aha, wieder eine Glanzleistung unseres ganz besonderen Menschen."

Der Schüler schluckte das kommentarlos. Es hatte keinen Sinn, sich auf einen Streit mit dem Stiefvater einzulassen. Das änderte sich selbst dann nicht, als er erwachsen wurde und von zu Hause auszog.

In der Stadt, in der er lebte, war der größte Arbeitgeber die Niederlassung eines internationalen Konzerns. Gute Chancen auf eine befriedigende berufliche Karriere hatte eigentlich nur, wer hier arbeitete. Kurts Stiefvater hatte in dieser Firma in der Produktion angefangen und war im Lauf der Zeit aufgestiegen. Jetzt hatte er eine Position im gehobenen Management inne.

Auch Kurt hatte es zu diesem Arbeitgeber verschlagen. Man könnte sagen, dass das nicht sehr vorausschauend gewesen war; der arme Kerl glaubte jedoch seinerzeit, keine Alternative zu haben. Er stellte sich wohl bei der Stellensuche auch nicht gerade geschickt an, wozu sicher seine verklemmte Art beitrug.

Sein Stiefvater beobachtete Kurts Fortkommen mit wachsender Missgunst. Als Kurts jüngere Brüder eines Tages ebenfalls in die Firma eintraten und zu direkten Konkurrenten Kurts wurden, griff der Stiefvater ein.

Er streute die bösartigsten Gerüchte über Kurt, ohne dass dieser etwas davon mitbekam. So hatte Kurt natürlich keine Möglichkeit, sich zu verteidigen. Kurts Stiefvater unterstützte und förderte andererseits seine leiblichen Söhne Martin und Max nach Kräften. So hatten Martin und Max bald eine stattliche Gefolgschaft unter den Kollegen um sich versammelt. Fachlich hatten sie nicht viel vorzuweisen, aber sie verfügten über ein mächtiges Netzwerk.

Von Anfang an machten sie klar, wie sie zu ihrem Halbbruder standen: dass sie ihn nicht mochten. Das verbreitete sich sofort und so hatte Kurt das ganze Netzwerk gegen sich.

Kurt geriet ins soziale Abseits. Das äußerte sich zunächst in Kleinigkeiten. War er vor dem Eintritt seiner Brüder in die Firma immer mit mehreren Kollegen im Grüppchen zum Mitttagessen in die Kantine gegangen, so sah man ihn einige Zeit später dort immer allein sitzen. Er wurde nicht mehr von den Kollegen zum Mittagessen abgeholt und, wenn er selbst die anderen fragte, wie es mit einem gemeinsamen Mittagessen wäre, bekam er zu hören: „Jetzt passt es gerade nicht" oder: „Heute schaffe ich es nicht". Ging er dann allein in die Kantine und setzte sich irgendwo hin, leerte sich der Tisch innerhalb einer Minute.

Auch wenn er das aushalten zu können glaubte, hatte er eines Tages keine Lust mehr, sich wie ein Aussätziger behandeln zu lassen, und ging dazu über, sich belegte

Brote von zu Hause mitzunehmen und diese in der Mittagspause allein an seinem
Schreibtisch in seinem Büro zu sich zu
nehmen.

Leute, mit denen er sich bisher geduzt
hatte, fingen plötzlich an, ihn zu siezen.
Man ging auf Distanz. So ungelegen kam
ihm das gar nicht. „Sie Esel" hört man immerhin seltener als „du Esel". Andererseits
gab es da die Zahl 7353.315 für den Ta-
schenrechner. Man tippte sie ein und legte
Kurt das Display verkehrt herum hin, so
dass die Zahlen auf dem Kopf standen. Bei
der gebräuchlichen Zahlendarstellung in
solchen Geräten konnte man dann einen
Text lesen …

Kurt regte sich über solche Kindereien
nicht im Geringsten auf. Wenn er gut ge-
launt war, lächelte er sogar nachsichtig und
sagte: „Brav!" oder „Gut gemacht."

Zu kleineren Feierlichkeiten unter Kollegen wurde Kurt nicht mehr eingeladen.
Auch ein gemeinsames Bier nach Feier-

abend gab es nicht mehr. Er wurde ausgegrenzt.

Kurt ließ sich dadurch nicht beeindrucken und machte einfach seine Arbeit. Das war wahrscheinlich das Einzige, was er tun konnte; dennoch verschaffte es ihm den Ruf eines Fachidioten. Sozial würde er in der Firma auf keinen grünen Zweig mehr kommen.

Da er aber nicht auf seinen persönlichen Erfolg fixiert war, sondern das Wohl der Firma im Auge hatte, rannte er klaglos tagein, tagaus seine Strecke im Hamsterrad. Da er keinen Ärger machte, ließ man ihn gewähren, umso mehr, als er ungewollt in seiner Opferrolle zur Unterhaltung der Kollegen beitrug.

Überdies wurde seine Sachkompetenz als nützlich empfunden, weshalb man ihn zwar sozial missachtete, aber ungestört arbeiten ließ. Man nahm sogar hin, dass er in der Firmenhierarchie langsam aufstieg.

Als Persona non grata galt er nur in sozialer Hinsicht und wirklich loswerden

wollte man ihn auch nicht. Schließlich eignete er sich doch hervorragend als Fußab-
treter und diente zur täglichen Belustigung
der Belegschaft. Man konnte sich so herr-
lich das Maul über ihn zerreißen! Ohne ihn
wäre der Alltag ein ganzes Stück langwei-
liger gewesen.

Haushaltsmanagement

Überall wurde Kurt angefeindet. Seine Zufluchtsstätte war sein Heim, seine kleine Einzimmerwohnung. Hier hatte er seine Ruhe, hier war er für sich. Dies war seine Festung, nach dem Motto „My home is my castle".

So eine Burg muss gepflegt werden. Vieles ist im Haushalt zu tun. Da Kurt allein lebte, musste er sich selbst um seinen Haushalt kümmern, was ihm nicht leichtfiel. Er löste das Problem jedoch durch effizientes Haushaltsmanagement.

Zum Essen machte er sich belegte Brote, kaufte einmal pro Woche ein. Um auch gelegentlich etwas Warmes zu sich zu nehmen, suchte er am Wochenende ein Fast-Food-Restaurant auf. Das war einfach und unkompliziert und erfüllte seinen Zweck.

Die Reinigung seiner Wohnung übernahm eine Haushaltshilfe, die einmal pro

Woche kann. Er hatte sie über das Internet gefunden und sie war günstig. Da er recht ordentlich verdiente, konnte er sich das leisten. Dass sie beim Putzen durch die ganze Wohnung wuselte, ließ sich nicht vermeiden.

Das war eigentlich nicht ganz unproblematisch. Kurt vermutete nämlich insgeheim, dass seine Verfolger seine Perle zur Spionage anstifteten. Die inneren Stimmen hatten es ihm verraten. War das schon paranoid? Nicht unbedingt. Von Paranoia hätte man sprechen können, wenn seine Vermutung völlig unrealistisch gewesen wäre. Das war sie aber nicht.

Vielmehr entsprach seine Vermutung der Wahrheit. Seine Widersacher spähten ihn tatsächlich heimlich aus und hatten die Haushaltshilfe bestochen, damit sie ihnen jedes noch so kleine Detail aus Kurts Privatleben hintertrug. Das gehörte sich zwar nicht, war aber genau genommen noch nicht strafbar.

Als strafbar galt jedoch, eine andere Person abzuhören, und auch das taten seine Gegner. Kurt vermutete es zwar, verzichtete aber darauf, die Wanzen zu suchen. Selbst wenn er sie gefunden hätte, wäre es ihm kaum möglich gewesen, nachzuweisen, wer sie platziert hatte. Das zwanghafte Suchen nach Abhörgeräten zählte außerdem zu den ersten Anzeichen von Paranoia und diese Symptome wollte er vermeiden. Er beschränkte sich einfach darauf, keine Selbstgespräche zu führen oder zumindest in ihnen nichts Verfängliches preiszugeben.

Kurt hatte mit seinen Vermutungen richtig gelegen, weil er die Handlungsweise seiner Gegner mittlerweile so gut kannte, dass er ihre Züge vorhersagen konnte. So ließen sich die Aussagen seiner Stimmen erklären. Auch im Fall der Haushaltshilfe tat er nichts gegen diese Aktivitäten. Erstens konnte er sich natürlich nicht wirklich sicher sein. Und zweitens: Wenn er eine neue Haushaltshilfe engagierte, würde das Ganze von vorn losgehen. Für eine Anzeige wegen Stalkings hätte er Beweise gebraucht, die er nicht hatte, und außerdem erschien ihm der Aufwand überflüssig. Sollten sie doch spionieren, wenn er ihnen so interessant war. Eigentlich war so viel Interesse fast schon wieder ein Kompliment. Ihn störte es jedenfalls nicht, da er keine Geheimnisse hatte.

Die Haushälterin zur Rede zu stellen, hätte ebenso wenig Sinn gehabt. Es wäre nur peinlich gewesen und die Dame hätte sicher alles geleugnet.

Außerdem war Kurt froh, dass er sie hatte. Bei ihm sauberzumachen, gestaltete sich nämlich nicht gerade leicht. Sein Zimmer machte den Eindruck eines Saustalls. Der Gute scheute sich, Unterlagen wegzuwerfen, da er befürchtete, sie später noch einmal zu brauchen. Allein für das Finanzamt betrug die Aufbewahrungsfrist zehn Jahre. So stapelten sich die Papiere auf seinem Schreibtisch.

Hinzu kam, dass Kurt aus Angst, etwas zu vergessen, überall Erinnerungszettel platzierte. So geschah es öfter einmal, dass alle Plätze belegt waren, wenn er etwas ablegen wollte. In solchen Fällen ging er dann dazu über, auch den Fußboden mit Dingen vollzupacken. Es entwickelte sich die Streuordnung eines Kinderzimmers.

Das musste natürlich zu Auseinandersetzungen mit der Raumpflegerin führen und sie einigten sich darauf, dass er wenigstens den Fußboden freihielt, während sie darauf verzichtete, auf den Tischen sauberzumachen.

Diesen mühsam ausgehandelten Kompromiss wollte er nicht in Frage stellen. Also schwieg er.

Die Waschmaschine warf er alle zwei Wochen an. Er wusch alles zusammen: Hemden, Hosen, Socken, Unterwäsche – alles bei 60 Grad. Probleme bekam er nicht dabei. Sachen, die bei dieser Temperatur einliefen, kaufte er etwas größer. Höhere Temperaturen für die Unterwäsche brauchte er auch nicht, da er nur Büroarbeit verrichtete und keinen Sport trieb. Seine Wäsche wurde nie richtig schmutzig.

Nicht mit in die Waschmaschine kamen die Pullover, die er mit der Hand wusch. Was er allerdings täglich wechselte, waren aus hygienischen Gründen die Unterhosen und die Socken, letztere zumindest dann, wenn er tagsüber feste Schuhe trug.

Er hatte genug Kleidungsstücke, um über die zwei Wochen zu kommen und er ging sparsam mit ihnen um. Jeden Abend sortierte er seine ausgezogenen Sachen nach einem eigenen System. Sachen, die noch einmal getragen werden konnten, kamen auf einen Stuhl, Sachen, die nicht mehr gingen, kamen in den Wäschekorb. Bei ihm gab es drei Kategorien: „frisch gewaschen", „in die Wäsche" und „geht noch".

Auf diese Weise konnte er manche Sachen mehrere Tage tragen. Kein Problem bei seiner schonenden Lebensart. Schließlich benutzte er ein Deo, obwohl er kaum schwitzte. Nach einem Tag konnte man an seinen Sachen noch keinerlei Tragespuren sehen oder riechen.

Das Problem: In der Firma lauerte jeder nur darauf, Kurt einen Fehler nachweisen zu können. Er wurde mit Argusaugen beobachtet. Aufmerksam und argwöhnisch wurde jedes Detail an ihm registriert. So konnte es nicht ausbleiben, dass eines Tages bemerkt wurde, dass er dasselbe Hemd trug wie am Vortag. Kurz darauf wurden ihm auf dem Flur Dinge nachgerufen wie: „Na, wieder mal vergessen, das Hemd zu wechseln, was?" oder „Heute Nacht wohl im Büro durchgemacht?" oder „Du solltest dich mal frisch machen!"

Bei Kurts Persönlichkeit würde man nicht erwarten, dass er sich über seine Wirkung auf andere Menschen Gedanken machte. Prallte nicht alles an ihm ab? Und doch reagierte er. Er wollte nicht, dass andere zu Recht einen Makel an ihm feststellten. Zu Unrecht, ja, damit würde er sich abfinden müssen, aber nicht zu Recht!

Die Bedenken hätte er sich sparen können. Das war doch nur die Spitze des Eisbergs. Wenn er gewusst hätte, was in der Firma noch alles über ihn getuschelt wurde … Er wusste es im Allgemeinen nicht, aber dieses Mal hatte er es mitbekommen und wollte Abhilfe schaffen. Er machte es sich nunmehr zur Angewohnheit, die Kleidungsstücke auf dem Stuhl ein paar Tage liegen zu lassen, bevor er sie wieder anzog.

Das System war noch nicht perfekt, da er eventuell den Überblick verlieren könnte, wann er welche Sachen getragen hatte. Die Lösung: Er stellte drei Stühle nebeneinander und arbeitete sie der Reihe nach ab. Nach drei Tagen begann er wieder von vorn.

Natürlich brachte auch dieses System eine Gefahr mit sich: Wenn er etwa einen Fleck auf seinem Hemd nicht bemerken und das gute Stück nach drei Tagen wieder anziehen würde, könnte jeder aufmerksame Beobachter sich seinen Teil denken.

Indes war die Gefahr überschaubar, da er die Kleidungsstücke sehr sorgfältig überprüfte, bevor er sie auf den Stuhl legte.

Trotzdem wollte es der Zufall, dass jemand, der ihn zwei Tage nicht gesehen hatte, an ihm ein Hemd mit einem nicht alltäglichen Muster wiedererkannte. Zur Rede gestellt, wollte er erst antworten, dass das Hemd inzwischen gewaschen worden sei. Das wäre zwar möglich gewesen, aber unwahrscheinlich. Doch fiel ihm etwas Besseres ein: Er verwies darauf, dass er mehrere Hemden derselben Art besäße und sie gerne abwechselnd trage. Darauf konnte keiner etwas erwidern.

Autos

Kurt pflegte sogar ein Hobby: Er sammelte alte Blechspielautos. Um sie aufzubewahren, hatte er eine große Vitrine aufgestellt, die mittlerweile gut gefüllt war. Auf den Flohmärkten ging er auf Beutezug und fand tatsächlich immer wieder ein Stück für seine Sammlung. Es gab auch Sammlerbörsen zu diesem Gebiet, die er regelmäßig besuchte.

Wie er zu diesem Steckenpferd kam, ist rätselhaft. Er selbst fuhr nicht einmal Auto. Er hatte zwar, als er volljährig wurde, Fahrstunden genommen, war dann aber durch die Prüfung gefallen. Das hatte ihn so entmutigt, dass er sich nie zu einer Wiederholungsprüfung angemeldet hatte.

Zur Arbeit fuhr er mit den öffentlichen Verkehrsmitteln, wobei er sich einredete, durch sein Verhalten etwas gegen den Klimawandel zu tun. Das könnte man so darstellen, wenn es seine freie Entscheidung gewesen wäre, wenn er eine Alternative gehabt hätte, aber die hatte er nicht. So tat er bestenfalls notgedrungen etwas Gutes.

Aber es ist nicht verboten, sich das schönzureden.

Es lässt sich vermuten, dass sein eigenes Versagen beim Autofahren Kurt dazu getrieben hat, Autos und Autofahren zu verherrlichen. So ließe sich vielleicht sein Hobby erklären.

Dazu würde auch passen, dass er sich für Motorsport interessierte, die Formel-1-Rennen im Fernsehen verfolgte und ab und zu sogar mit der Bahn zu einem hinfuhr.

Ein Vergnügen gönnte er sich außerdem: Da er nicht mit richtigen Autos fahren konnte, fuhr er stattdessen mit Autoscootern. Wann immer ein Jahrmarkt in der Stadt war, ging er hin und fuhr eine Weile mit den stoßsicheren Vehikeln.

Das ging so lange gut, bis er einmal versehentlich zu stark mit einem anderen Fahrzeug kollidierte. Der Fahrer des ange-

rempelten Fahrzeugs, ein riesiger grob-
schlächtiger Rabauke, stieg aus und ver-
prügelte Kurt fürchterlich. Der arme Kurt
passte offenbar perfekt in die Rolle des Op-
fers. Es war, als sei ihm auf die Stirn ge-
schrieben worden: „Schlag mich!"

Fortan blieb er Jahrmärkten fern.

Im Südsudan

Abenteuerlustig war Kurt nicht, im Allgemeinen nicht einmal reiselustig. Trotzdem verschlug es ihn eines Tages in den Südsudan. Das kam so: Immer wieder wurde in seiner Kirche für die ärmsten Regionen der Welt gesammelt und Kurt spendete immer freigebig.

Jedoch kam ihm das sehr abstrakt vor. Er wollte selbst mitwirken und seine Mittel noch effektiver einsetzen, und zwar dort, wo er es für wirklich wichtig hielt. Also kratzte er seine Ersparnisse zusammen und reiste im Weihnachtsurlaub in den Südsudan. Zuhause würde ihn zum Fest niemand vermissen und die Menschen dort würden sich über seine Weihnachtsgeschenke freuen.

Kurt flog also kurz vor den Feiertagen nach Juba, mietete dort einen Lastwagen, engagierte einen Fahrer, kaufte große Mengen von Lebensmitteln, lud sie auf und wollte sie in ein Flüchtlingslager bringen.

Die Gegend war wegen marodierender Milizen gefährlich. Daher heuerte er einige ortskundige Söldner an, die ihm einen sicheren Weg garantieren konnten. Das kostete einiges und Kurt verstand, warum so wenig von den Spenden bei den Bedürftigen ankam.

Die Aktion war trotzdem noch gefährlich, aber Kurt wagte es. Ein Held war er nicht. Er konnte schon mal Angst vorm Fliegen bekommen, aber wenn er die Gefahr überschauen konnte, war er bereit, ein kalkulierbares Risiko einzugehen. So sah es hier aus und er fuhr los.

Die Operation gelang. Vor Ort verteilte er die Lebensmittel an die Flüchtlinge und sah sich um, wo er noch helfen könnte.

Dabei traf er auf eine kleine Familie, der es besonders schlecht ging, so schlecht, dass die Eltern ihn baten, doch eins ihrer Kinder, einen Jungen, zu adoptieren, damit er eine bessere Zukunft hätte. Das hielt

Kurt für keine gute Idee. Ein Kind gehöre zu seinen Eltern, erklärte er den beiden. Er sei jedoch bereit, eine Art Patenschaft für den Jungen zu übernehmen. Das bedeutete, er würde sich regelmäßig um ihn kümmern und die ganze Familie unterstützen, so gut er könne.

Die von ihm unterstützte Familie war dankbar und Kurt gab ihnen ein Prepaid-Handy, um Kontakt zu halten, außerdem genügend Lebensmittel, um durchzuhalten, bis er wiederkam.

Er hatte einen Plan. Die Lebensumstände in dem Lager erschienen ihm katastrophal. Eine Lösung wäre eine weitere Flucht nach Uganda. Dort, das wusste er, wurden Flüchtlinge besser versorgt und hatten eine echte Lebensperspektive. Er besprach die Sache mit den Eltern der kleinen Familie und, als er nach einem Jahr wiederkam, packten sie das Projekt an. Ohne viel Federlesens holte Kurt die ganze Familie mit ihren wenigen Habseligkeiten ab und fuhr mit ihnen in seinem geschützten Lastwagen zur ugandischen Grenze, wo die Familie zu Fuß die Grenze überquerte und um Aufnahme bat. Alles lief wie am Schnürchen.

Kurt fühlte sich, als hätte er eine Heldentat vollbracht, bis er erfuhr, dass am Tag nach seinem Aufbruch ein ganzer Flüchtlingstreck nach Uganda gestartet war. Seine Patenfamilie wäre also auch ohne seine Hilfe dorthin gekommen. Na ja, immerhin hatten sie einen Vorsprung gehabt. Und überhaupt: Der gute Wille zählte.

Trotzdem wurmte es ihn. Er hatte in den Spiegel blicken und sich aufrichtig loben wollen für etwas, das eines „ganz besonderen Menschen" würdig war. Seine Bemühungen waren jedoch eher der berühmte Tropfen auf den heißen Stein.

Wie dem auch sei, das Unternehmen war nun erst einmal gelungen. Kurt verabschiedete sich von der Familie und versprach, sich weiterhin um sie zu kümmern, was er dann auch tat.

Man könnte denken, dass Kurt hier endlich als Mensch akzeptiert worden wäre, aber ganz so war es nicht. Er wurde als Wohltäter geehrt – nicht als Mitmensch! Ein Unterschied. Zu ungleich waren die Rollen verteilt, als dass eine enge Verbundenheit auf Augenhöhe möglich gewesen wäre.

Hier spielten Faktoren eine Rolle, auf die keiner der Beteiligten einen Einfluss hatte. Die Problematik wurzelte in der grundlegenden Ungerechtigkeit bei der globalen Verteilung des Wohlstandes. Diese Ungerechtigkeit konnte weder von einer Einzelperson aus den wohlhabenden Ländern überwunden werden, noch von den Armen ignoriert werden.

Für einen, der ohne eigenes Verschulden in größter Armut leben musste, konnte es nur schwer eine echte Freundschaft mit einem geben, der ohne eigenes Zutun im Überfluss lebte. Ließ sich die schreiende Ungerechtigkeit wirklich ganz ausblenden? Und musste der Reiche nicht die Befürchtung haben, nur um des Vorteils wegen gemocht zu werden? In Kurts Fall spielte dieses Misstrauen eine gewisse Rolle. Zu oft war ihm Missachtung entgegengebracht worden, als dass er noch unbefangen einem anderen Menschen gegenübergetreten wäre.

Es liegt wohl doch eine tiefe Kluft zwischen Arm und Reich auf dieser Welt. Brücken zwischen den beiden Solidargemeinschaften gibt es zwar, aber nur selten.

Kurt war sich der Tatsache bewusst, dass er die Misere des globalen Ungleichgewichts nicht selbst würde beheben können und tat einfach, was er auf seine Weise tun konnte. Das betrachtete er nicht als Almosen, sondern als einen Beitrag, zu dem er sich verpflichtet fühlte, als eine Art Selbstverständlichkeit.

Die Nachbarin

Es gab nicht nur Unangenehmes in Kurts Leben. Mehrmals pro Woche begegnete er im Treppenhaus seiner Nachbarin. Die junge Dame war etwa in seinem Alter, vielleicht zwei oder drei Jahre jünger und schien auf den ersten Blick ausgesprochen nett zu sein. Sie grüßten sich bei solchen Gelegenheiten freundlich und kamen eines Tages ins Gespräch. Es ging darum, dass Frau Beaulieu, so hieß die Dame, verreisen wollte und Kurt bat, in der Zeit ein Auge auf ihre Wohnung zu haben. Natürlich kam Kurt ihrem Wunsch nach und passte auf die Wohnung auf, Blumengießen inbegriffen.

Das gehörte einfach zur guten Nachbarschaft dazu und hatte nicht viel zu bedeuten. Kurt jedoch, der noch keinerlei Erfahrung mit dem weiblichen Geschlecht gemacht hatte, verliebte sich auf der Stelle in das reizende Geschöpf. Zaghafte Versuche seinerseits, sie in längere Gespräche zu verwickeln, scheiterten kläglich. Frau Beaulieu erwiderte seine Zuneigung offenbar nicht.

Kurt verstand das nur teilweise. Er glaubte, die Sache falsch begonnen zu haben und ließ die Dame vorerst in Ruhe. Heimlich aber brannte seine Liebe lichterloh. Schließlich begann er, kleine Gedichte für sie zu schreiben, die zunächst nur in seiner Schublade landeten.

Eines Tages jedoch nahm er allen Mut zusammen, verzierte ein besonders schönes Gedicht mit einer selbstgemalten roten Rose, steckte es in einen Briefumschlag, adressierte ihn an die Angebetete und warf ihn in ihren Briefkasten. Da er nicht als Feigling dastehen wollte, hatte er seinen Namen als Absender vermerkt.

Als er Frau Beaulieu das nächste Mal traf, fiel ihr Gruß deutlich unterkühlt aus. Sie erwähnte das Gedicht mit keinem Wort und ging ungebremst weiter.

Kurt war verwirrt: Hatte sie das Gedicht nicht gelesen? Was es ihr peinlich? Mochte sie ihn womöglich nicht? Wollte sie die Kommunikation auf der schriftlichen Ebene halten? Einen romantischen Briefverkehr pflegen? Aber warum schrieb sie dann nicht zurück? Auf das Naheliegende kam er nicht: Die Dame hatte kein Interesse an ihm, fühlte sich von seinen Ergüssen belästigt und signalisierte ihm das auf diese Weise.

Der liebeskranke junge Mann wollte es nicht wahrhaben. Wenn sie nur einen Schriftverkehr wollte, ohne darüber zu sprechen, wäre er bereit mitzuspielen! Er würde es noch einmal probieren und schrieb ihr einen ausführlichen Brief, in dem er ihr seine Gefühle offenbarte. Er ließ all sein Herzblut in den Text hineinfließen, relativierte ihn aber glücklicherweise mit einem Schuss Humor. So müsste es gehen! Er gluckste vor Vergnügen. So fröhlich hatte er sich lange nicht gefühlt! Mag sein, dass der Brief etwas zu schwülstig ausfiel, aber welcher unerfahrene junge Mann in seiner Lage hätte das schon kontrollieren können?

Wieder legte er ein Gedicht bei, brachte die Sendung auf den Weg und wartete ab.

Beim nächsten Treffen im Treppenhaus grüßte ihn die junge Dame nicht mehr und vermied jeglichen Blickkontakt.

Diesmal hatte Kurt die Botschaft verstanden und ließ sie in Ruhe.

Damit hielt er die Angelegenheit für erledigt und sie war es fürs Erste auch. Es sollte jedoch ein Nachspiel geben.

Die Nachbarin war bereits einige Zeit aus ihrer Wohnung ausgezogen, als er sie plötzlich in der Firma wiedersah. Sie hatte dort eine Stelle im Einflussbereich seines Stiefvaters angenommen. Es gab in diesem Unternehmensbereich starke Fluktuationen beim Personal. Kein Wunder bei dem Chef! So hatte es der Zufall gewollt, dass sie sich wiedersahen. Eine peinliche Begegnung, die sie beide so gut wie möglich zu vermeiden suchten.

Frau Beaulieu rutschte nun in die Clique seiner feindseligen Halbbrüder und bezog entsprechend gegen ihn Stellung. Es dauerte nicht lange, so gelangten sein Liebesbrief und die Gedichte in die Hände der Brüder und wurden zur allgemeinen Belustigung herumgereicht. Dabei waren die Gedichte gar nicht so schlecht, dass man sie hätte lächerlich machen müssen. Aber diese Ignoranten hätten in dem Moment auch über Rilkes Gedichte gelacht.

Wenn auch sonst keiner mit ihm sprach, zu diesem Thema bekam er etliche spöttische Bemerkungen zu hören. Es war als Verletzung gedacht, traf ihn aber nicht so tief, wie die anderen sich das gewünscht hätten. Seine Gefühle beim Schreiben der Gedichte und des Briefs waren echt gewesen. Er hatte sich ungeschickt angestellt – sicher –, aber musste er sich dafür schämen? Solche Gefühle, wie er sie geäußert hatte, seien doch normal, sagte er sich. Er tröstete sich damit, dass er schließlich Spaß beim Schreiben gehabt hätte, und das könne ihm keiner mehr nehmen. Basta.

Kurt entschloss sich, die Sache gelassen hinzunehmen und saß sie aus.

Spätestens seit dieser Episode hatte Kurt den Ruf, etwas verkorkst zu sein oder zumindest merkwürdig. Das hing wohl auch damit zusammen, dass er jedes Mal errötete, wenn er mit einer jungen Frau sprach. Diese Störung stammte noch aus seiner Pubertät und er war sie nie ganz losgeworden. Sein gescheiterter Annäherungsversuch an die Nachbarin, der nun allgemein bekannt geworden war, verbesserte die Sache nicht gerade.

Das schrie geradezu nach Schabernack.

Die Mitarbeiter machten sich einen Spaß daraus, ihm wichtige Botschaften durch junge Praktikantinnen mitteilen zu lassen. Möglichst sollten sie ihn auf den Gängen abpassen, wo die hämischen Kollegen im Hintergrund lauerten und seine Verlegenheit beim Zusammentreffen genüsslich beobachten und kommentieren konnten. Vielleicht könnten die jungen Dinger ein bisschen mit ihm flirten, ihn wie zufällig am Arm berühren? Die jungen Mädchen hielten das Ganze für einen harmlosen Scherz und machten mit.

Die Beobachter genossen die Szenen und machten sich über seine Verklemmtheit lustig. Später erinnerten sie sich immer wieder daran, wenn sie ihn sahen, kicherten dann, wobei sie sich nicht die geringste Mühe gaben, das zu verheimlichen, schüttelten den Kopf und zogen die Augenbrauen hoch.

Es ging weiter. Auf einmal war Kurt bei verschiedenen Online-Dating-Portalen angemeldet, und zwar mit seinem Klarnamen. Dass er das nicht selbst getan haben würde, wusste eigentlich jeder. Trotzdem amüsierten sich alle, wenn in der Folge eindeutige Kontaktangebote an Kurt unter den Mitarbeitern zirkulierten.

An seiner Tür, an seinem Computer, auf seinem Stuhl, überall waren plötzlich rote Herzen angebracht. Er bekam anonyme Liebesbriefe, Anrufe auf seinem Handy, bei denen nur stöhnende Frauen zu hören waren. Auf dem Flur zwinkerten ihm einige Frauen, die eingeweiht waren, sogar verschwörerisch zu. Sie konnten sicher sein, dass er nicht reagieren würde, sondern nur verschämt zur Seite schauen. Für sie war es lustig. Für Kurt indes wurde es langsam unerträglich.

Herr Klobenbrock

Der arme Kurt, der durchaus wusste, dass er zur Trotteligkeit neigte, begann langsam, sich zu fragen, ob denn vielleicht wirklich etwas mit ihm nicht stimmen könnte.

Bis er Herrn Klobenbrock im Fahrstuhl begegnete!

Bei Herrn Klobenbrock handelte es sich um einen der ehemaligen Vorstände der Firma. Er genoss seit geraumer Zeit seinen Ruhestand, ließ sich jedoch von Zeit zu Zeit noch im Gebäude sehen.

Die Ursache für die Begegnung kann in der Tatsache gesehen werden, dass Kurts Arbeitsplatz sich im zehnten Stock eines Hochhauskomplexes befand. Er benutzte normalerweise den Aufzug, um in sein Büro zu kommen.

Eines Tages betrat nun Kurt den Fahrstuhl, als Herr Klobenbrock sich schon darin befand. Kurt grüßte artig und wollte gerade sein gewünschtes Stockwerk eintippen, als er bemerkte, dass Herr Klobenbrock offenbar das oberste Stockwerk eingegeben hatte. Dort befanden sich nur Speicherräume und der Zugang zum Hubschrauberlandeplatz. Wollte Herr Klobenbrock den Hubschrauber benutzen? Gab es hier womöglich eine Reaktivierung des Rentners?

Kurt wurde neugierig und beschloss, ebenfalls nach oben zu fahren und den Patriarchen zu beobachten. Sie kamen oben an, Herr Klobenbrock stieg jedoch nicht aus, sondern drückte den Knopf für das Erdgeschoss.

Was sollte denn das? Kurt war verwirrt und seine Neugier steigerte sich. Er blieb gleichfalls im Fahrstuhl und fuhr mit ins Erdgeschoss. Dort angekommen, stieg Herr Klobenbrock wieder nicht aus, sondern gab abermals das oberste Stockwerk ein. Kurt lächelte und blieb weiterhin im Fahrstuhl.

Jetzt lächelte auch Herr Klobenbrock und sprach ihn an:

„Fahren Sie auch so gern Fahrstuhl?"

Kurt quetschte ein „Ja" hervor und sah zu, dass er aus dem Fahrstuhl kam, nicht ohne sich höflich von Herrn Klobenbrock verabschiedet zu haben.

Er entschied nunmehr für sich, dass er auch nicht merkwürdiger war als Herr Klobenbrock, und jener wurde immerhin allgemein respektiert. Seit diesem Zeitpunkt hörte er auf, sich Gedanken darüber zu machen, ob er merkwürdig sei und ob er etwas dagegen tun müsse. Die Antwort lautete: nein, auf keinen Fall! Jeder hat das Recht auf seine Marotten und diese hatten gefälligst als liebenswerte Eigenheiten zu gelten.

In Herrn Klobenbrock hatte Kurt seit diesem Zeitpunkt einen Fürsprecher, der ihm zwar wohlgesonnen war, aber nicht viel zu sagen hatte.

Leider verstarb Herr Klobenbrock kurz darauf. Die Firma richtete eine kleine Feier zu seinem Gedenken aus. Kurt, der den alten Herrn recht gern gemocht hatte, beabsichtigte eigentlich, dort hinzugehen, obwohl er befürchten musste, wie bei allen gesellschaftlichen Anlässen zur Zielscheibe von Gehässigkeiten zu werden.

Dazu kam es jedoch nicht. Kurt hatte der Witwe bereits vorher kondoliert, war jedoch von der resoluten Dame, die von Kurts Stiefvater und dessen Verbündeten entsprechend bearbeitet worden war, darauf hingewiesen worden, dass seine Beileidsbekundungen nicht willkommen wären und dass sie ihn auch auf der Feier nicht zu sehen wünschte.

Kurt respektierte ihren Wunsch und erschien nicht zu der Veranstaltung. Es erübrigt sich fast zu sagen, dass sofort danach die Nachricht die Runde machte, dass Kurt aus irgendeiner Laune heraus die Feier zu Ehren seines Fürsprechers geschwänzt habe. Die Leute, die die Neuigkeit verbreiteten, waren dieselben, die bei der Witwe für seinen Ausschluss gesorgt hatten.

Kurt wusste es besser und ignorierte die Lästermäuler.

Final Destination

Die inneren Stimmen, die Kurt zu hören vermeinte, gaben ihm zuweilen auch Warnungen mit auf den Weg. Einmal mahnten sie ihn, nicht zu einem Meeting zu gehen. Kurt hörte auf sie, entschuldigte sich und blieb der Sitzung fern.

Später stellte sich heraus, dass dies zu seinem Vorteil war. Die lieben Kollegen hatten eine Falle für ihn vorbereitet: Es hatte einen Fehler in der Produktion gegeben und ein Schuldiger wurde gesucht. Man wollte es Kurt in die Schuhe schieben. Der entscheidende Teil des Plans war, Kurt durch harmlos scheinende Fangfragen im Vorfeld zu Aussagen zu veranlassen, die ihn in der Folge belasten würden.

Da Kurt nun aber fehlte, fiel der Plan ins Wasser, die Schuldfrage wurde in seiner Abwesenheit diskutiert und es gab keine Anhaltspunkte, die ihn belastet hätten. Er war dem Anschlag entgangen.

Ein weiteres Beispiel für die Weitsicht der Stimmen stellte die Durchführung einer Darmspiegelung dar. Kurt war eigentlich noch zu jung für regelmäßige Koloskopien. So überraschte es ihn, dass die Stimmen ihm zu einer solchen Untersuchung rieten.

Die Ärzte hielten diese Tortur zwar nicht für unbedingt erforderlich, konnten aber die erbliche Vorbelastung durch mehrere Krebsfälle in seiner Familie nicht von der Hand weisen. So fügten sie sich dem Willen des Patienten.

Der Befund gab Kurt recht: Tatsächlich wurde Darmkrebs im frühen Stadium entdeckt. Sofort wurde ein OP-Termin festgelegt und der entsprechende Abschnitt des Darms entfernt. Es handelte sich um einen größeren Eingriff, aber alles ging ohne Komplikationen vor sich.

Kurt hatte wieder einmal Glück gehabt. Hätte man erst im fortgeschrittenen Lebensalter mit der Vorsorge begonnen, wie die Empfehlung lautete, wäre es zu spät gewesen: Der Krebs hätte zu streuen begonnen, Metastasen wären aufgetreten. Der

Tod wäre nur noch eine Frage von Mona-
ten gewesen. Kurt dankte den Engeln für
seine Lebensrettung.

So lief es öfter ab. Die Stimmen halfen
Kurt. Ob sie tatsächlich Engeln zuzuordnen
waren oder ob er durch seine Kontaktar-
mut einen eigenen sechsten Sinn entwickelt
hatte, der ihn vor Gefahren warnte, lässt
sich schwer entscheiden und ist wohl auch
eine Glaubensfrage. Bei vielen scheinbar
ganz natürlichen Vorgängen kann man,
wenn man will, übernatürliche Ursachen
postulieren, die sie steuern. Kurt wollte es
so sehen und keiner konnte es ihm verweh-
ren.

Es kam sogar noch spektakulärer.

Eines Tages warnten ihn die Stimmen
davor, den Aufzug zu betreten und emp-
fahlen ihm stattdessen, die Treppen hin-
aufzusteigen. Das geschah sogar öfter mal
und Kurt hatte es immer als Aufruf zur
körperlichen Betätigung verstanden.

Er folgte also auch diesmal dem Ratschlag und schwitzte ordentlich beim Treppensteigen. Noch während er hinaufstieg, bekam er mit, dass etwas Schlimmes geschehen war: Der Fahrstuhl, mit dem er hatte fahren wollen, war abgestürzt. Obwohl es etliche Sicherungsmechanismen gab, hatte ein unglaubliches Zusammentreffen widriger Umstände zum Absturz geführt. Wie durch ein Wunder war die Kabine leer und niemand wurde verletzt.

Kurt war überzeugt, dass seine inneren Stimmen ihm abermals das Leben gerettet hatten.

Da er gern fernsah, kannte er den Film „Final Destination", in dem ein übernatürlich verursachtes Vermeiden eines Unfalltodes durch ein um vieles grausigeres Schicksal bestraft wird. Der Fahrstuhlabsturz erinnerte ihn an die Flugzeugkatastrophe des Films. Das machte ihm jedoch keine Angst. Er vertraute den Stimmen. Sie hätten ihn nicht gerettet, um ihn einem schlimmeren Tod zuzuführen.

Natürlich würde sich auch sein Schicksal eines Tages erfüllen, aber er hoffte auf einen gnädigen Tod.

Geheimnisverrat

Der Konzern, für den Kurt arbeitete, hatte eine leistungsstarke Forschungsabteilung aufgebaut, die schon einige Innovationen hervorgebracht hatte. So gab es gewisse Firmeninterna, die nicht nach außen gelangen durften. Jeder Mitarbeiter hatte bei seiner Einstellung eine diesbezügliche Verschwiegenheitsklausel im Vertrag unterzeichnen müssen.

Eines Tages waren offenbar trotzdem geheime Konstruktionspläne eines neuen Produktes an die Konkurrenz gelangt. Man wusste davon, weil die eigene Gegenspionage den Sachverhalt entdeckt hatte. Nur wo das Leck war, wusste man nicht und machte sich auf die Suche. Jeder war verdächtig.

Kurt eignete sich besonders als Sündenbock und geriet bald ins Fadenkreuz der Ermittler. Dazu trug nicht zuletzt bei, dass seine Brüder und einige ihrer Mitläufer ihn bei verdächtigen Aktivitäten gesehen haben wollten. Er sollte sich nachts an abgelegenen Orten mit Mitarbeitern der Konkurrenzfirma getroffen haben, ihnen irgendwelche Dokumente ausgehändigt haben und Geld dafür erhalten haben.

Es folgte eine penible Durchleuchtung des gesamten Lebens des Beschuldigten im vergangenen Jahr, wobei sich der Verdacht restlos zerstreute. Stattdessen gerieten nun Kurts Brüder in Verdacht: Warum hatten sie ihren Halbbruder fälschlich beschuldigt? Wollten sie von sich selbst ablenken?

Im Zuge der Untersuchungen wurde auch Kurt abermals befragt. Es stellte sich heraus, dass es etliche kritische Zeiträume gab, für die die Brüder keine Alibis nachweisen konnten. Für den wichtigsten dieser Zeiträume hätte Kurt ihnen tatsächlich ein Alibi geben können. Er hatte sie gesehen, sie ihn nicht. Sollte er es tun oder den beiden Quälgeistern eins reinwürgen und sie zappeln lassen?

Kurt kam gar nicht auf diese unlautere Idee.

Seine friedfertige Natur ließ das nicht zu. Wahrheitsgemäß beantwortete er die Fragen und half so dabei mit, die Brüder vom Verdacht zu befreien.

Die Brüder erfuhren später davon, ohne indes beeindruckt zu sein. Dass ihr Halbbruder diese Gelegenheit hatte verstreichen lassen, ihnen auch einmal einen Gegenschlag zu versetzen, machte ihn in ihren Augen zu einem Schwächling. Sie verachteten ihn nur umso mehr und schikanierten ihn in verstärktem Maße. Es war wie beim Boxen: Wenn die Gegenwehr ausbleibt, nutzt der Gegner die Situation, indem er schnell möglichst viele Treffer zu setzen versucht. Gestoppt wird er normalerweise durch den Ringrichter, der den Betroffenen anzählen oder auf technischen K.O. entscheiden kann.

So also verhielt es sich auch hier, nur dass es keinen Ringrichter gab, der die Angriffe gestoppt hätte. Sie prasselten weiterhin auf Kurt ein.

Eine neue Front wurde gegen ihn errichtet. Seine sexuelle Verklemmtheit geriet noch einmal ins Visier seiner Widersacher.

Diese überredeten eine Sekretärin, Kurt zu beschuldigen: Er solle sie fortwährend sexuell belästigt haben. Die Beschuldigungen entbehrten jeglicher Grundlage und wurden nur unter der Hand verbreitet. Jeder erzählte die Story herum, aber keiner erzählte sie Kurt. Der bekam wieder einmal gar nicht mit, wie übel ihm mitgespielt wurde.

Da jeder wusste, dass Kurt sich ausgesprochen schüchtern gegenüber Frauen verhielt, lautete der Vorwurf nicht auf verbale oder gar tätliche Übergriffe, sondern nur auf schmachtende Blicke. Das ließ sich weder beweisen, noch widerlegen. Blicke lassen sich nicht so leicht kategorisieren. Und, na ja, man muss zugeben, bei Kurts Glubschaugen ließ sich nur schwer entscheiden, ob sie nun schmachtend guckten oder einfach nur blöde. Das gab schon oft Anlass zur Heiterkeit und das ist der Stoff, aus dem Spekulationen gemacht sind.

Das Gerücht entbehrte jeglicher Grundlage. Kurt hatte die betreffende Dame bisher kaum wahrgenommen. So offenbarte das Getratsche eher etwas über die Urheber, nämlich eine gewisse Albernheit und eine geradezu pubertäre Unreife. Trotzdem – und darum ging es ja – war das Gerücht erst einmal in Gang gekommen. In einer Firma, in der erotische Kontakte zwischen Kollegen streng untersagt waren, stellte das tatsächlich ein Problem dar.

Zu irgendwelchen Maßnahmen gegen Kurt konnte es natürlich nicht kommen, da nichts Greifbares vorgefallen war. Trotzdem tratschten die Mitarbeiter fortwährend darüber, und auch besagte Sekretärin schien Gefallen daran zu finden. Sie war nämlich seit vielen Jahren händeringend auf der Suche nach einem potentiellen Ehemann, ohne fündig zu werden, obwohl sie sich ziemlich wahllos etlichen Männern an den Hals geworfen hatte. Nun glaubte sie wohl, dass ihr ein geeigneter Kandidat auf dem Silbertablett serviert würde.

Sie erwies sich als perfekte Besetzung für ihre Rolle. Nach einer Weile fing sie selbst an zu glauben, dass Kurts Blicke schmachtend seien, und bildete sich etwas darauf ein. Sie begann, die alltäglichen Gesten Kurts zu analysieren und Signale seiner

Zuneigung in ihnen zu lesen. Sie bewertete die Art, wie und wo er stand, nahe bei ihr oder fern, wann er seine Position wie änderte oder wie und wann er ging. Alles deutete sie in ihrem Sinn.

Ihre fantasievollen Pseudobeobachtungen tratschte die bemitleidenswerte Person dann herum und sorgte damit für immer neue Belustigung, wobei sie gar nicht merkte, dass sie und ihre Einbildungen selbst mit zum Gegenstand der Heiterkeit wurden. Aber auch ihr sagte man das nicht und so gab es immer wieder etwas zu lachen. Schließlich steigerte sich die unter Torschlusspanik leidende Dame in die aberwitzige Vorstellung hinein, Kurt würde sie eines Tages heiraten.

Daraus wurde zu ihrer Enttäuschung natürlich nichts. Aus dem ganzen Theater erwuchs nichts Handfestes. Das war aber gar nicht das Ziel der Initiatoren gewesen. Man hatte Kurt nur in der ganzen Firma lächerlich machen wollen, was zur Genüge gelungen war. Die Unruhe, die die Gerüchte mit sich brachten, störte letztlich sogar den Betriebsfrieden, so absurd das Gerede auch war.

Es sollte jedoch noch absurder kommen.

Der Deal

Eine weitere Bosheit lauerte auf Kurt. Lange Zeit hatte Kurts Stiefvater ein Problem: Wenn er einmal nicht mehr wäre, sollte Kurt absolut gar nichts erben. In seinem Testament hatte er Vorkehrungen in diese Richtung getroffen, jedoch mit der Einschränkung, dass er aufgrund der gesetzlichen Vorgaben Kurt seinen Pflichtteil nicht vorenthalten konnte. Das wurmte ihn gewaltig, hatte er doch einen regelrechten Hass auf den in seiner Weise erfolgreichen Kurt entwickelt.

Als eines Tages die Position eines Abteilungsleiters vakant wurde und Kurt der ideale Mann für den Posten zu sein schien, was eine gewaltige Beförderung darstellte, sah der Stiefvater seine Chance gekommen.

Er schlug Kurt einen Deal vor. Aufgrund seiner eigenen Position, so argumentierte er, hätte er es in der Hand, Kurts Beförderung zu begünstigen oder zu verhindern. Wenn Kurt schriftlich auf seinen Pflichtteil verzichtete, würde er im Gegenzug dafür sorgen, dass der Stiefsohn den Posten des Abteilungsleiters bekäme.

Kurt hielt die Sache für so lächerlich, dass er beinahe laut losgelacht hätte, wenn ihm nicht durch seine Kindheit eine solche Angst vor seinem Stiefvater eingebläut worden wäre, dass er es nicht wagte. In seine Gefühle mischte sich Wut: Für wie dumm musste sein Stiefvater ihn halten! Wahrscheinlich hatte seine jahrelange Tyrannei dazu geführt, dass er von seinem Stiefsohn einfach keinerlei Widerstand erwartete. Zwischen Angst, Spott und Wut hin- und hergerissen wappnete Kurt sich also und entgegnete seinem Gegenspieler gefasst:

„Netter Versuch, aber ich falle nicht darauf herein. Den Posten bekomme ich, ob du mir hilfst oder nicht. Selbst wenn die Sache nicht so klar wäre, könnte ein derartiger Deal nie eine Option sein. Ich will aufgrund meiner Leistungen befördert werden und nicht wegen eines zwielichtigen Deals. Du solltest nicht von dir auf andere schließen: Nicht jeder stellt den beruf-

lichen Erfolg über seine moralische Integri-
tät. Und wenn du mir meinen Weg zehn-
mal verbauen würdest, ich würde einen
anderen finden! Ich werde mich von dir
nicht mehr einschüchtern lassen!

Davon mal ganz abgesehen, wissen wir
doch beide, dass das Erbe nur vorgescho-
ben ist. Worum es dir eigentlich geht, ist ja
sonnenklar: Da du meine Beförderung
nicht verhindern kannst, willst du sie wenigstens in Verruf bringen. Wenn ich wirklich so dumm wäre, auf deinen Bluff, den
sogenannten Deal, einzugehen, würdest du
später zum Gejohle der Meute die Bombe
platzen lassen. Du würdest die Behauptung
streuen, dass ich nur durch diesen Deal
befördert worden wäre. Den Beweis hättest
du durch meine schriftliche Einverständ-
niserklärung.

So würdest du mich unmöglich machen
und ich wäre für die Firma nicht mehr
tragbar. Ich stünde ohne Job da und würde
in der Branche nie wieder Fuß fassen können. Damit käme ich weitaus schlechter
weg, als wenn ich die Beförderung nicht
erhalten hätte. Hattest du wirklich ge-

glaubt, mich so leicht übertölpeln zu können? Such dir jemand anderen, den du ins
Bockshorn jagen kannst!"

Kurt hatte sich nach einem besonnenen
Beginn in Rage geredet. Der abgeblitzte
Stiefvater schwieg und ging.

Im Grunde hatte der Stiefvater selbst
nicht an ein Zustandekommen dieses
„Deals" geglaubt. Er hatte nie ein Geheim-
nis aus seiner Feindschaft zu Kurt gemacht.
Warum sollte dieser dann auf einen Deal
eingehen, der nur den Sinn haben konnte,
ihm zu schaden?

Nein, erwartet hatte er einen Erfolg
nicht. Der Gedanke war ihm nur als „Spaß"
in den Sinn gekommen. Aus dem Spaß
Ernst zu machen, war nur ein Versuch ins
Blaue hinein gewesen, nach dem Motto
„Frechheit siegt." Mit diesem Motto war er
schon oft gut gefahren. Die Schwächeren
aus Spaß zu terrorisieren, war ihm in
Fleisch und Blut übergegangen. Er war
eben das, was man im Englischen einen

„Bully" nennt, einen, der Schwächere schikaniert.

Der Versuch war schiefgegangen und der Familientyrann wiederholte ihn nicht überflüssigerweise noch einmal. Er unternahm auch später nichts mehr bezüglich der Beförderung. Mit jedem Versuch, die Beförderung wirklich zu verhindern, hätte er sich nur lächerlich gemacht. Kurt wurde befördert, aber er hatte nicht allzu viel davon.

Der bösartige Stiefvater wollte nämlich seine Idee von dem Deal nicht einfach so auf den Müll werfen. Wenn er auch nicht wirklich zustande gekommen war, konnte er doch unter der Hand behaupten, es wäre da etwas im Gespräch gewesen. Wen interessierte schon die Wahrheit? Semper aliquid haeret. Die Geschichte war einfach zu gut, um nicht verwertet zu werden! Er ging eifrig ans Werk und begann, Kurt auch in dieser Hinsicht zu verleumden. In einigen vertraulichen Plaudereien mit anderen Mitarbeitern deutete er an, Kurt hätte ihm einen solchen Deal vorgeschlagen, den er,

der Stiefvater, aber selbstverständlich abge-
lehnt habe.

Kurt, der von der üblen Nachrede nichts
erfuhr, konnte sich nicht verteidigen. Er
konnte nur mutmaßen, was vorging und
bemerkte, dass die Stimmung gegen ihn
noch schlechter wurde als bisher – wenn
das überhaupt noch möglich war. Ohne
explizite Anklage konnte er aber nichts dazu sagen; schließlich gilt: Qui s'excuse
s'accuse.

Es wurde das reine Spießrutenlaufen.
Richtig deutlich wurde es, als es anlässlich
seiner Beförderung eine kleine offizielle
Zeremonie vor der Belegschaft gab. Bei der
öffentlichen Verlesung der Beförderung
applaudierte keiner. Peinliche Stille. Erst
als der Leiter der Niederlassung sich erhob
und demonstrativ in die Hände klatschte,
folgten einige zögerlich seinem Beispiel.
Nun konnte es also als allgemein bekannt
gelten, dass Kurt in der Firma unbeliebt
war. Das stellte zunächst an sich noch kein
Problem dar, jedoch wurden seine Arbeiten
immer öfter sabotiert.

Er hatte im Intranet der Firma plötzlich keine Zugangsberechtigung mehr zu Dateien, mit denen er eigentlich arbeiten sollte. Der Fehler ließ sich schnell beheben, aber es blieb unklar, wie er zustande gekommen war. Als er auf eine wichtige Mail wartete, hätte er sie fast übersehen, weil sein Postfach an diesem Tag mit handgemachten Mails unbekannter Herkunft überschwemmt wurde, die der Spam-Filter nicht abfangen konnte.

Die Kollegen bezeichneten ihn nur noch als den „ganz besonderen Menschen". Gut gemeint war das nicht.

Der nächste Streich wartete auf ihn bei einem größeren Meeting unter Beteiligung der Firmenleitung, das in der Chefetage stattfand. Wie alle Anwesenden musste auch Kurt irgendwann die Toilette aufsuchen, um sich zu erleichtern. Merkwürdigerweise waren alle Kabinen verriegelt. Ein Alptraum! Jemand musste sie mit einem Schraubenzieher von außen verschlossen haben. Ans Urinal wollte er nicht, weil diese alle verschmutzt waren.

Es blieb ihm nichts anderes übrig, als sich einen anderen WC-Raum zu suchen. Er fand ihn schließlich ein Stockwerk tiefer.

Gerade kehrte er ins Konferenzzimmer zurück, als ihm ein Kollege hinterherstürzte und ihn anfuhr, was er denn auf der Toilette veranstaltet habe: Der ganze Raum stehe unter Wasser. Kurt, der sich nichts vorzuwerfen hatte, beteuerte, bei seinem Verlassen des Raums sei alles noch in Ordnung gewesen. Und überhaupt sei er ein Stockwerk tiefer auf die Toilette gegangen. Er könne es also gar nicht gewesen sein.

Leider konnte er keine Zeugen beibringen, während mehrere Mitwirkende des Streiches gesehen haben wollten, wie er die verunreinigte Toilette verließ. Sie mussten sich abgesprochen haben, die Toilette zunächst sabotiert und sie später geflutet haben, als er sich ein Stockwerk tiefer befand.

Man ließ die peinliche Angelegenheit auf sich beruhen, aber es blieb ein Zweifel haften.

Dann kam die Erkältungszeit. Alles schniefte und schupfte. Kurt, der kaum mit seinen Kollegen zu tun hatte, war bisher verschont geblieben.

Glück gehabt bis dahin, besonders da er Züge eines Hypochonders zeigte. Er ging Keimen und jeglicher Ansteckungsgefahr ängstlich aus dem Weg. Dazu immer die Sorge, sich schon angesteckt zu haben. Nun, da sollte er ein Problem bekommen. Seine diesbezügliche Schwäche war nicht unbemerkt geblieben. Früher oder später musste etwas passieren.

Es lag geradezu in der Luft: Er begegnete auf dem Gang einem Kollegen mit vor Erkältung verquollenem Gesicht. Während Kurt noch überlegte, ob er sich umdrehen und weglaufen sollte, ließ der Kollege zwei Meter vor ihm einen explosionsartigen Nieser los. Scheinbar höflich hielt er sich dabei die Hand vor den Mund. Sie triefte danach vor Schleim.

Kurt zuckte zusammen, erstarrte und starrte den Übeltäter mit weit aufgerissenen Augen an. Aber das war noch nicht alles. Der ordinäre Kerl trat auf Kurt zu, wischte seine nasse Hand an Kurts Schulter ab und sagte: „Hier, sollst auch was davon haben."

Wer nicht die ganze Szene aufmerksam beobachtet hatte, hätte das Tätscheln der Schulter für eine freundschaftliche Geste halten können. In Wahrheit war es eine weitere Demütigung Kurts.

Kurt erbleichte und schluckte hart, unfähig, etwas zu erwidern. Dann drehte er sich um, immer noch wortlos, und stolperte davon. Schnellstens ging er nach Hause, übergoss sich mit Desinfektionslösung und zog sich ein frisches Hemd an. Das beschmutzte Hemd ekelte ihn derart, dass er es nur noch mit der Kneifzange anpackte und direkt in die Mülltonne entsorgte. Danach noch eine Vitamin-C-Tablette zur Vorbeugung genommen und schleunigst wieder ins Büro.

Da er öfter auswärts zu tun hatte, war seine Abwesenheit den Chefs nicht einmal aufgefallen und er brauchte sich nicht zu rechtfertigen. So blieb ihm wenigstens erspart, die unappetitliche Begebenheit noch einmal zu erzählen.

Ein Fluchtversuch

So konnte es nicht weitergehen.

Letzten Endes musste Kurt sich entschließen, die Firma und mit ihr die Stadt zu verlassen. Er bewarb sich bei einer anderen Firma der gleichen Branche in einer anderen Stadt und wurde zu einem Vorstellungsgespräch eingeladen. Durch seinen Sachverstand konnte er überzeugen und bekam die Stelle.

Natürlich hatte die neue Firma Erkundigungen über Kurt eingeholt, wodurch Kurts Stiefvater Wind von dem Wechsel bekam. Sein Hass sollte Kurt weiterhin verfolgen. Wie schon bei der Beförderung konnte er Kurts Erfolg nicht verhindern, aber er hatte Kontakte zu Kurts zukünftigen Mitarbeitern und konnte seine Gerüchte auch dort verbreiten.

Dabei ging er raffiniert vor. Er zeigte nicht etwa die hässliche Fratze des missgünstigen Stiefvaters, sondern heuchelte den fürsorglichen ehemaligen Vorgesetzten, der sich Sorgen um den etwas merkwürdigen Mitarbeiter machte. Wie er sich denn anstelle? Ob er schon durch seine Schrullen aufgefallen sei? Ob er dem Alltagsdruck gewachsen sei? Solche und ähnliche Fragen ließ er in die Gespräche einfließen. Auch die Sache mit dem Deal kam zur Sprache. Er formulierte das Märchen etwas um: Durch einen dubiosen Deal, den der Stiefvater jetzt nicht mehr mit sich in Verbindung brachte, sei es Kurt gelungen, auf eine Position zu gelangen, der er nicht mehr gewachsen sei. Deswegen der Wechsel. Es sei eine typische Manifestation des Peter-Prinzips, das besagt, dass jeder bis zur Stufe seiner Unfähigkeit aufsteige. Kurt habe mit dieser ungerechtfertigten Beförderung die Stufe seiner Unfähigkeit erreicht und sei auf seiner jetzigen Position völlig fehl am Platz.

So kam es, dass Kurt bald in seiner neuen Firma auf die gleichen Probleme stieß wie in seiner vorigen. Er ließ sich dadurch nicht entmutigen und erarbeitete sich durch harte Anstrengungen auch hier eine gewisse Achtung, wenngleich ihm jeglicher soziale Anschluss versagt blieb.

Auch in der Auseinandersetzung mit seinem Stiefvater hatte er einen weiteren Tiefschlag hinnehmen müssen. Jener hatte nämlich einen neuen Anlauf unternommen, Kurt zum Verzicht auf seinen Pflichtteil zu zwingen.

Was tut ein skrupelloser Manipulator, wenn er sein Opfer nicht einschüchtern kann? Er bedroht dessen Familie. Diese Option hatte der Stiefvater nicht, weil Kurts Familie auch seine eigene Familie war. Ansonsten gab es niemanden, von dem bekannt war, dass er Kurt nahestand – bis auf die von Kurt betreute Familie in Uganda. Tatsächlich hatten seine eifrigen Verfolger unter anderem auch davon erfahren. Diese armen Flüchtlinge nahm nun der skrupellose Stiefvater ins Visier. Er drohte Kurt, der Familie eine der vielen grenzüberschreitenden Milizen auf den Hals zu hetzen.

Jetzt hatte er ihn! Die Drohung konnte als realistisch angesehen werden und Kurt wollte alles in seiner Macht Stehende tun,

um die Familie zu schützen. Er unter-
schrieb.

Wie konnte sich der Stiefvater nur auf
dieses Niveau hinabbegeben? Kurt hatte
das nicht kommen sehen und sich nicht
vorbereiten können. Sonst hätte er die Drohung mit dem Handy aufnehmen können
und den Stiefvater mit der Aufnahme in
Schach halten können. Selbst die Andro-
hung einer solchen Tat war schließlich
strafbar.

Aber so, wie die Dinge lagen, hatte er
verloren. Wieder einmal hatte der Stiefvater gesiegt.

Sollte es bis zu seinem Lebensende so
weitergehen? Eine Antwort auf diese Frage
sollte er schneller erhalten als erwartet.

Kirchliches

Durch seine Mutter war Kurt katholisch erzogen worden. Er war getauft worden und hatte, bestärkt durch das Vorbild seiner Mutter, diese Konfession sein Leben lang praktiziert.

Abends, wenn sein Tagwerk vollendet war und er gegessen hatte, betete er und meditierte. Spezielle Körperstellungen und Atemtechnik hatte er dazu nur anfangs gebraucht. Nach einer Weile löste er sich von diesen Hilfsmitteln. Er konnte sich, wann und wo er wollte, in Trance versetzen.

In diesem Zustand verströmte sein Ajna Chakra ein goldenes, warmes Licht, das ihn ganz durchflutete. Indem er in dieses Licht eintauchte, vergaß er völlig seine Alltagsprobleme und empfand einen tiefen Frieden mit sich und der Welt. War dies ein Ausblick in die jenseitige Welt? Als Christ glaubte er an ein Jenseits. Warum sollte uns Menschen als Trost nicht ein Ausblick darauf gewährt sein?

Oft versenkte er sich bei der Meditation in die christlichen Erbauungsbilder, die überall seine Wohnung schmückten: das Kreuz als Fels in der Brandung, Maria im Rosenhag, die Mater Dolorosa, die Pietà, die Passionsszene, natürlich das bekannte Schutzengelbild und viele weitere mehr.

So, wie seine Wohnung mit diesen teilweise schon in den kitschigen Bereich gehenden Bildern aussah, hätte er keinen Besuch dort hineinlassen dürfen. Man hätte ihn sonst wohl für einen Spinner gehalten. Zu Unrecht; denn frömmlerisch verhielt er sich nicht. Vielmehr fühlte er sich als Freigeist, weil er den Mut hatte, sich auch diese dem Zeitgeist zuwiderlaufende Freiheit zu nehmen. Andere Menschen hätten das vielleicht nicht verstanden. Aber da bestand keine Gefahr. Niemand besuchte ihn und er besuchte niemanden.

Sicher hatte seine Haushaltshilfe seinen Gegnern Details von Kurts Wohnungseinrichtung berichtet. Tatsächlich bekam jedoch Kurt zu dem Thema nichts zu hören. Seine Widersacher, die durchaus von den religiösen Erbauungsbildern wussten, nutzten sie diese Information nicht. Nicht, weil sie Respekt vor Kurts religiösen Ansichten gehabt hätten. Vielmehr hielten sie die Tatsache wohl nicht für saftig genug, um die Informationsquelle, nämlich die Haushaltshilfe, die sie auf ihrer Gehaltsliste hatten, dafür zu opfern. Die eingeschleuste Spionin wäre schließlich danach aufgedeckt und für die Zukunft unbrauchbar gewesen. Da wollten Kurts Gegner doch lieber auf bessere Munition für ihre Kampagnen warten.

Die Stimmen der Engel, die Kurt zu hören glaubte, zeugten von seinem Gottvertrauen. Das hatte seine Gründe.

Wie oft schon war ihm schon geholfen worden! So eingeschränkt war seine Wahrnehmungsfähigkeit nicht, dass er nicht mitbekommen hätte, dass man ihm schaden wollte. Dass er dennoch für seine Verhältnisse gut zurechtkam, führte er auf die Einwirkung höherer Mächte zurück. Ob es jetzt die Fürsprache seiner verstorbenen Mutter war, die dies bewirkt hatte, oder ob Heilige sich für ihn eingesetzt hatte, konnte er nicht wissen. Er spürte aber, dass vieles in seinem Leben glücklichen Fügungen geschuldet war, und dankte Gott in seinen Gebeten dafür. Er besaß die Fähigkeit, sein Leben positiv zu sehen und dankbar dafür zu sein.

Wenn Gott mit ihm war, brauchte er die Menschen nicht zu fürchten.

Auch vor dem Tod fürchtete er sich aufgrund seines Glaubens nicht. Wenn überhaupt, bereitete ihm der Gedanke an den Vorgang des Sterbens Unbehagen. Aber selbst hier war ihm das Schicksal gnädig. Er starb einen schnellen, relativ schmerzlosen Tod.

Eine tückische Krebserkrankung hatte ihn heimgesucht. Er brachte sie nicht in

Zusammenhang mit dem Psychostress, dem er permanent ausgesetzt war, obwohl auch das möglich gewesen wäre. Vielmehr glaubte er, die Disposition für diese Krankheit von seiner Mutter geerbt zu haben. Duldsam nahm er die Krankheit als ein Vermächtnis seiner Vorfahren hin.

Gegen die Krankheit zu kämpfen, war er zwar bereit, andererseits aber auch in der Lage, das Unabänderliche zu akzeptieren.

Er war Mitte dreißig, als es ihn traf. Sein leiblicher Vater suchte ihn, als er von seinem Zustand erfuhr, im Krankenhaus auf. Unter Tränen gestand er ihm seine Identität und entschuldigte sich für die bisherige Geheimhaltung. Er habe sein Leben Gott weihen wollen, daher das Gelübde abgelegt und dieses dann durch seinen Fehltritt gebrochen. Seine darauffolgende Handlungsweise sei ihm in der Beichte als Buße auferlegt worden. Er habe keine Wahl gehabt. Jetzt aber, in dieser schicksalsschweren Stunde, wäre er bereit, seine Existenz zu opfern und sich zu seinem Sohn zu bekennen.

Kurt redete ihm das aus. Es genüge ihm, seinen leiblichen Vater noch kennengelernt zu haben und er stünde ja nun sowieso kurz vor seinem letzten Gang. Nur eins interessiere ihn: ob der Vater seine Zeugung immer noch als Fehltritt ansehe und bereue.

Der Vater barg das Gesicht in den Händen. Damals wäre er gedanklich derart in der Kirchenwelt gefangen gewesen, dass er es wohl so gesehen hätte, gestand er ein. Heute aber sei er glücklich, dass es ihn, Kurt, gäbe. Er sei sicherer in seinem Glauben geworden und zuversichtlich, dass die Entwicklung der Ereignisse Gottes Wille gewesen sei.

Lange Gespräche führten Vater und Sohn in dieser Zeit, Gespräche, in denen es zunächst um den Glauben an das Jenseits ging. Sie hofften schließlich, dort eines Tages wieder zusammenzutreffen. Kurt erzählte von seiner Auffassung, dass die Erfahrung zeige, dass wir praktisch kaum etwas von der Welt wüssten, dass aber die menschliche Antizipation positiv eingestellt sei, weswegen er an etwas Größeres glaube, wovon das menschliche Leben Teil sei. Die ziemlich detaillierten Beschreibungen der katholischen Kirche ordnete er jedoch eher den Gleichnissen zu.

Sein Vater gab zu verstehen, dass er als Angehöriger der Kirche ihre Lehren wörtlich nehme, nicht ohne auch manchmal Schwierigkeiten damit zu haben, gegen die er aber ankämpfe.

Im weiteren Verlauf erfuhr der Vater auch von den Stimmen, die sein Sohn zu hören glaubte. Er wies darauf hin, dass die Frage, ob es Engel seien, die zu Kurt sprächen, nicht einfach zu beantworten sei. Viele Heilige hätten im Lauf ihres Lebens Stimmen gehört, die sie für übernatürlich angesehen hätten. Vielen von ihnen hätte man lange nicht geglaubt. Nur die Kirche könne letztlich entscheiden, ob Gott, Maria oder Engel gesprochen hätten. Aber auch die Kirche sei nur eine irdische Instanz. Sicherheit gebe es nie.

Er rate seinem Sohn, die Stimmen zur Kenntnis zu nehmen, das, was sie sagten, aber kritisch abzuwägen. Kurt meinte, so in etwa hätte er es auch bisher gehalten.

Es dauerte nicht mehr lange, bis für Kurt der endgültige Abschied nahte. Er erhielt die letzte Ölung von seinem leiblichen Vater. Reingewaschen ging er – betreut von diesem – hinüber in eine bessere Welt.

Sein leiblicher Vater sorgte danach für sein Begräbnis. Es fand in kleinstem Kreis statt. Auf dem Grabstein stand später zu lesen:

Kurt Kleisterbacher

4. März 1980 – 1. Oktober 2016

Ein ganz besonderer Mensch

Kurts Grab lag neben dem seiner Mutter. So hatte er es sich gewünscht und der Erfüllung dieses Wunsches war ein letzter Streit mit seinem Stiefvater vorausgegangen. Dieser wollte seinem Stiefsohn den Platz neben seiner Frau nicht zugestehen, da er den Erstgeborenen am liebsten aus der Familiengeschichte getilgt hätte. Nichts sollte an Kurt erinnern! Er glaubte als Ehemann der Verstorbenen ein Recht darauf zu haben, über das Grab zu verfügen.

Kurt seinerseits hatte auf Antigone verwiesen und eingewandt, dass göttliches Recht vor menschlichem Recht gehe und der Vater daher nicht berechtigt sei, ihm sein Begräbnisrecht zu verweigern, selbst wenn es juristisch möglich wäre.

Er betonte, dass menschliche Verwandtschaftsverhältnisse gottgegeben seien und nicht von Menschen in Frage gestellt werden dürften. Er sei der erstgeborene Sohn seiner Mutter und nichts, was der Stiefvater dagegen unternähme, würde etwas daran ändern.

Der Stiefvater blieb stur und die Sache ging vor Gericht. Das salomonische Urteil überraschte: Der, der zuerst stürbe, hätte das Recht, seinen Platz zuerst zu wählen. In dieser Hinsicht hatte nun offenbar Kurt die Nase vorn, und so bekam er seinen gewünschten Platz. Sehr viel Zeit blieb ihm allerdings nicht, sich darüber zu freuen, bis es soweit war.

Viele Besucher kamen nicht zu seinem Grab, sein leiblicher Vater jedoch besuchte ihn regelmäßig. Er, der ihn gerade erst persönlich kennengelernt und gleich wieder verloren hatte, litt unter seiner Trauer. Er betete viel für seinen Sohn und pflegte das Grab.

In seiner Sterbestunde hatte Kurt seinem Vater seine Tagebücher übergeben. In diesen hatte er alles notiert, was er von seinen Gedanken für wichtig hielt, aber niemandem hatte mitteilen können. Der Vater brachte die Aufzeichnungen nach Kurts Tod in Buchform und veröffentlichte sie.

Wer geglaubt hatte, jetzt endlich würde Kurt als eine tiefgründige Persönlichkeit gewürdigt und geehrt werden, sollte sich geirrt haben. Kaum jemand interessierte sich für das Buch. Die, die Kurt nicht kannten, konnten nicht motiviert werden, es zu lesen, und diejenigen, die ihn kannten, waren ihm gegenüber feindlich eingestellt und sahen keinen Grund, ihren Feind nach seinem Tod noch zu studieren. Das Buch entwickelte sich zum Flop.

Der Vater indes gab nicht auf. Er wollte mehr für seinen verstorbenen Sohn tun und kam schließlich auf eine nicht ganz naheliegende Idee.

Er hatte im Lauf seines Lebens eine gewisse Position in der Kirche erreicht, war zum Abt aufgestiegen. So hatte seine Stimme Gewicht in der Ordensgemeinschaft. Er lenkte jetzt den Blick der Leitung auf seinen Sohn, der zeitlebens niemandem etwas zuleide getan hatte. Im Gegenteil, seine Freundlichkeit zu Jedermann galt als sprichwörtlich, ja, war sogar zur Zielscheibe des Spottes geworden.

Die Kirchengebote hatte er stets befolgt; er konnte als vorbildlicher Katholik bezeichnet werden.

Hinzu kamen seine Wahrnehmungen der Stimmen von Engeln, für die es allerdings keine Bestätigung gab und auch nicht geben konnte. Allerdings konnte als Tatsache gelten, dass er über eine Quelle der Kraft verfügt haben musste, um alle die Anfeindungen in seinem Leben wegsteckt haben zu können.

Daher, so argumentierte der Abt, könnte sein Sohn eventuell den Anforderungen einer Heiligsprechung genügen.

Er verwies noch auf Kurts Wohltätigkeit und seine Arbeit in Afrika. Aus der Sicht der Kirche wäre es allerdings förderlich gewesen, wenn Kurt seine Hilfe mit einer missionarischen Tätigkeit verbunden hätte. Kurt, der nie an das, was sein Vater jetzt in die Wege leitete, gedacht hatte, war in dieser Richtung nicht aktiv geworden. Nie wäre ihm in den Sinn gekommen, jemandem, der von Geburt an einen anderen Glauben hatte und in diesem aufgewachsen war, seinen eigenen aufzudrängen.

Was die Heiligsprechung betraf, so hatte sogar der Abt selbst heimlich gewisse Bedenken, da sein Sohn unehelich geboren worden war, also als ein Kind der Sünde galt. Wie groß die Sünde in Wahrheit gewesen war, wusste heute nur noch er, und er sagte zu niemandem ein Wort davon. Er beruhigte sein Gewissen jedoch mit der Einsicht, dass der Sohn nichts für die Sünde seiner Eltern könne. Das galt in ähnlicher Weise wie für die Erbsünde, von der ihn – wie von allen anderen Sünden – die Taufe ja befreit hatte. Und überhaupt: Wenn selbst ein Saulus zum Paulus werden konnte, ließ sich dies bei seinem Sohn auch nicht ausschließen.

Er trieb also tatsächlich sein Vorhaben voran, und seine Ordensgemeinschaft zog mit. Allerdings sollte dem Projekt letztlich kein Erfolg beschieden sein.

Für eine Heiligsprechung durch die Kirche sind strenge Kriterien zu erfüllen. Dazu gehören insbesondere nachprüfbare Berichte von Wundern, die nach Gebeten zu der verehrten Person aufgetreten sein sollen.

Daran musste es in Kurts Fall natürlich scheitern – niemand betete zu ihm! Das jedenfalls war kein Wunder.

Aber da, wo Kurt jetzt war, kümmerte ihn das nicht. Er hatte seine Ruhe gefunden nach einer lebenslangen Quälerei. Dieses Nachhaltige der Quälerei ist es, was man seinen Feinden besonders zum Vorwurf machen muss. Eine Meinungsverschiedenheit, einen Streit zwischen Menschen mag es immer mal geben, aber so etwas ein Leben lang auszufechten, erfordert schon ein erhebliches Maß an Dummheit, wenn nicht gar Bösartigkeit.

Wenn eine Feindschaft bis zum Tod oder sogar darüber hinaus währt, wäre man geneigt, von einer Todfeindschaft zu reden. Trifft dieses Wort die Beziehung zwischen Kurt und seinen Familienangehörigen? Das Verhalten des Stiefvaters und der Halbbrüder war feindselig, gewiss, aber es hatte im Bewusstsein der Letzteren längst nicht die Bedeutung, die es für Kurt hatte. Der Leidende spürte mehr als der Mobber. Für den Mobber war alles nur ein riesiger Spaß.

Mit Kurts Tod war das Spiel zu Ende, er wurde schnell vergessen.

Nein, als Todfeindschaft kann man den Sachverhalt nicht bezeichnen. Dazu waren die Rollen zu ungleich verteilt. Die einen waren Täter, der andere Opfer, die einen schuldig, der andere unschuldig. Eher kann man die Situation mit Tierquälerei vergleichen. Der Tierquäler betrachtet das Tier ja auch nicht als Feind, sondern empfindet einfach nur Lust am Quälen. Mag sein, dass Ärger über Kurt als Auslöser gewirkt hat, das ganze Ausmaß der Kampagne kann er nicht erklären.

Auf der anderen Seite

Kurt war nun auf der anderen Seite. Er befand sich mitten zwischen den Engeln, deren Stimmen er in seinem Leben so oft gehört hatte. Auch seine Mutter „sah" er wieder, wenn man von „sehen" sprechen kann. Es handelte sich eher um eine übernatürliche Wahrnehmung. Er selbst befand sich ja nicht in seinem irdischen Körper, ebenso wenig seine Mutter. Sie waren jeweils die Gesamtheit all dessen, was sie ausmachte, und nahmen sich gegenseitig in dieser Ganzheit wahr. Alle diese Wesenheiten zusammen bildeten eine unermessliche Einheit und harmonierten miteinander.

Wenngleich das „Sehen" sich hier anders gestaltete als auf der Erde, so könnte man doch am ehesten von einem Licht sprechen, das alles durchströmte. Es hatte eine gewisse Ähnlichkeit mit dem, was Kurt bei seinen Meditationen erlebt hatte.

Aus irgendeinem Grund haben die Menschen eine vage Vorstellung von diesem Licht. Manche nennen es das göttliche Licht, manche das Licht des Paradieses. Es scheint die Art zu sein, auf die wir Menschen von unserer Seite aus Gott erahnen können.

Der Chor der Engel sang und jubilierte. Kurt stimmte in den Gesang ein. Es war kein Gesang im irdischen Sinn, sondern etwas Wunderschönes, dem in unserer Sprache nichts entspricht, das aber einem Gesang noch am nächsten kommt.

Was für ein Glück, dass Kurt nicht wirklich sang! Er war zeitlebens ein miserabler Sänger gewesen. Hier aber seiner Freude Ausdruck zu geben, ging wie von selbst und fügte sich in die allgemeine Harmonie ein.

Kurt hatte auf der Welt genug erduldet. Das Erdulden ist doch letztlich das, was dem Menschen als Einziges übrigbleibt, wenn er ins Leben geworfen wird. Aus eigener Kraft die Lage zu überblicken und die richtigen Entscheidungen zu treffen, bleibt letztlich eine Illusion. Zu klein sind wir Menschen.

All das hatte für Kurt ein Ende gefunden. Er war davon erlöst.

Hier gab es nur Frieden. All die Bösewichte der Welt schämten sich ihrer Armseligkeit, wurden bemitleidet und geläutert. Expliziter Strafen bedurfte es nicht. Wie schrecklich musste es doch sein, wenn man aufrichtig geläutert war, letztlich vollkommen moralisch fühlte, und erkennen musste, was man auf der Welt an bösen Taten begangen hatte. Diese Qualen waren Strafe genug.

Aber auch diese Qualen wurden durch die Kraft der Liebe und des Verzeihens der ehemaligen Opfer geheilt.

Alle wussten hier alles voneinander. Hinterhältige Gedanken konnten nicht existieren. Wer sich im Leben Geltung verschaffen musste, um sich zu bestätigen, brauchte das hier nicht mehr. Jeder wurde geliebt und liebte.

Die Liebe schien sich geradezu zu substanziieren, sie vermehrte sich immer weiter und überschwemmte alles. Die Liebe: das war der Sinn hinter allem.

Die Wesen jener anderen Welt konnten unsere Welt beeinflussen. Auch Kurt beobachtete seine ehemaligen Peiniger. Er durchschaute sie vollständig wie einen Kristall. Wie bemitleidenswert sie doch waren, wie lächerlich ihre Bemühungen und wie klein ihre Ziele! Und so schwach waren sie! Das, was sie Kurt angetan hatten, ihn aus der Gemeinschaft auszuschließen, hätten sie selbst keine zwei Wochen ausgehalten. Sie wären zusammengebrochen. Das geschah ja oft genug: Die Statistiken zeugten von so vielen Mobbingopfern, die aufgrund ihrer Misshandlung krank geworden waren. Kurt hatte die Angriffe auf ihn im Vergleich dazu relativ gut wegstecken können.

Kurt erkannte, dass seine Mutter recht gehabt hatte: Er war in seinem irdischen Leben etwas Besonderes gewesen. Stolz oder Überheblichkeit verspürte er deswegen nicht, nur Dankbarkeit seiner Mutter gegenüber. Hier, wo er jetzt hingehörte, gab es keine Rangordnungen, kein „besser" oder „schlechter". Mitleid schon, das empfand er für die armen Kreaturen, die andere quälen mussten, um sich besser zu fühlen.

Rachegelüste kannte man nicht in den Sphären, in denen er jetzt weilte. Dem einen oder anderen tat er sogar Gutes, ja, besonders denen, die ihm nahestanden und ihm doch so übel mitgespielt hatten: seinem Stiefvater und seinen Halbbrüdern. Er schickte auch ihnen seine Liebe. Jedoch wirkte er keine offenkundigen Wunder. Die Verehrung der Menschen brauchte er wirklich nicht.

Was er immerhin tun wollte: Er ließ eine beträchtliche Menge von Goldmünzen sich in seiner ehemaligen Wohnung materialisieren, gewissermaßen als freudige Überraschung für seine Erben. Da sein leiblicher Vater sich nie als solcher hatte registrieren lassen, wurden sein Stiefvater und seine Halbbrüder als seine Erben angeschrieben.

Die jedoch wollten mit Kurt nichts zu tun haben und hielten ihn wohl auch für nicht wohlhabend genug, um das Erbe anzutreten und schlugen es aus. Sie scheuten die Rennerei zu den Behörden und wollten vor allem nicht seinen Haushalt auflösen.

Von dem versteckten Goldschatz erfuhren sie daher nichts. Der beachtliche Verkaufserlös kam der Sozialkasse zugute. Kurt und seine Mutter mussten über so viel Dummheit lachen. Ja, warum sollte man im Himmel nicht auch lachen können und dürfen? Heiterkeit gab es! Das Lachen war kein boshaftes Lachen, eher ein verstehendes. Wie sich ein Lachen dort drüben ausprägen mag, wird uns, solange wir uns hier in dieser Welt befinden, verborgen bleiben.

Bei Lichte betrachtet war die Lösung, die sich nun ergeben hatte, die sinnvollere: Sie konnte mehr Gutes bewirken. So ist es mit den himmlischen Wohltaten. Sie werden in der besten Absicht verteilt und werden dann zum noch Besseren umgeleitet, so dass alle Beteiligten zufrieden sind. Liebe kann geschenkt werden, ohne Schaden anzurichten.

Was sonst konnte Kurt für seine Brüder tun? Ändern würde er sie nicht mehr können, aber eine schöne Erinnerung wollte er ihnen wenigstens schenken. Als die beiden kleinen Wurschtelchen ihn noch als ihren großen Bruder verehrt hatten, waren sie von ihren Eltern im Winter nachmittags gemeinsam auf die Rodelbahn geschickt worden, wenn es geschneit hatte. Die Rodelbahn lag malerisch in einem kleinen Park und führte einen flachen Hügel hinab zu einem See. Man musste aufpassen, dass man nicht auf den gefrorenen See rutschte und einbrach. Kurt beaufsichtigte Martin und Max den ganzen Nachmittag. Ihre Anweisung lautete, im Dämmerlicht nach Hause zu kommen, wenn das Angelusläuten ertönte. Das entwickelte sich im Lauf der Zeit zu einem Ritual.

An diese schönen Stunden wollte Kurt seine Brüder erinnern. Er musste ein wenig tricksen, aber es gelang ihm zu arrangieren, dass die beiden Brüder sich an einem herrlichen Wintertag im Schnee in der Nähe der besagten Rodelbahn trafen, als es gerade Zeit für das Angelusläuten wurde. Als sie die Glocken hörten, verharrten die beiden und schwiegen einen Augenblick. Martin begann zögernd:

„Weißt du noch …"

Dann verstummte er, wollte wohl nicht sentimental werden.

Aber Max erwiderte:

„Ja, ich weiß es noch."

Kurt weilte als unsichtbarer Geist bei ihnen. Jetzt waren sie wieder zu dritt wie damals. Spürten die beiden anderen seine Anwesenheit? Physikalisch unmöglich. Und doch, die Brüder standen ein paar Minuten still da und hingen ihren Gedanken nach.

Es begann zu schneien, die Dämmerung sank hinab und die Gedanken der drei schweiften in ihre gemeinsame Vergangenheit. Ein lang verschüttetes Gefühl der Verbundenheit stieg in ihnen auf und erfüllte sie mit Sehnsucht nach Wiederkehr in ihre Kindheit. Kurt wollte seinen Brüdern zurufen, dass diese Zeit nicht verloren wäre, dass sie später nach Belieben dorthin zurückkehren konnten, es wäre Teil ihrer jenseitigen Existenz.

Natürlich ließ er es. Normalerweise würden sie ihn nicht hören können. Wenn Kurt jedoch so riefe, dass sie ihn hörten, würde er die irdische Ordnung stören. Das war nicht der Weg. Die Brüder hatten auch so einen Hauch des Geheimnisses verstanden. Nachdenklich schweigend gingen sie nach Hause.

Kurt war glücklich über dieses Erlebnis. Viele weitere solcher Erlebnisse ließ er entstehen.

Ein ganz bestimmter Aufenthalt in Raum und Zeit war Kurt besonders wichtig. Er versetzte sich in die Welt am letzten Muttertag, den er mit seiner Mutter hatte verleben dürfen.

Diesmal wollte er es besser machen als damals, alles nachholen, was er damals versäumt hatte. Damals hatte er seine Mutter für selbstverständlich genommen, nicht wissend, wie kurz er sie nur noch haben würde. Diesmal wollte er den Tag viel bewusster begehen. Er würde seiner Mutter jeden Wunsch von den Augen ablesen, die Hausarbeit machen, für sie kochen, ihr vorlesen, ihr ein Bild malen ...

Natürlich dürfte er es nicht übertreiben! Er würde alles zerstören, wenn er mehr täte, als man von einem Zehnjährigen mit viel gutem Willen erwarten konnte. Aber das war schon viel. Seine Mutter sah ihn dankbar und glücklich an. Dieser Blick, so voll Mutterliebe und Fürsorge, brannte sich in sein Herz ein. Viel stärker empfand er es jetzt, nachdem er sie verloren hatte, als damals.

Dieser neue Muttertag existierte nun neben dem alten. Eine neue Realität war entstanden. So gab es Myriaden von Universen, entstanden aus geänderten Realitäten, die doch auf der Quantenebene miteinander verbunden waren.

Der Ausdruck „Alternative Fakten" hatte hier eine ganz andere Bedeutung als in unserer Politik. Im Multiversum existieren stets Universen mit „alternativen Fakten". Mit so etwas zu spielen, kann Spaß machen.

So erlaubte sich Kurt, in seine damalige Tanzschule seiner Pennälerzeit zurückzukehren. Diesmal brachte er den Mut auf, das von ihm angehimmelte Mädchen zum Tanz aufzufordern und sie anschließend ins Kino einzuladen. Sie wurden ein Pärchen, heirateten später und bekamen Kinder. Kurt führte ein völlig anderes Leben. Er behauptete sich gegenüber seinem Stiefvater und seinen Brüdern. Nachdem er gezeigt hatte, dass er Beweise ihrer Vergehen sammeln konnte und zur Anzeige brachte, ließen sie ihn in Ruhe. Ob er das ohne sein jetziges Wissen geschafft hätte, ist zweifelhaft. Er hätte natürlich auch ohne dieses Wissen zurückkehren können, aber dann wäre jede Änderung reiner Zufall gewesen. Auf die Idee einer Heiligsprechung kam in dieser Realität keiner.

Solche Ausflüge in die Zeit stellen nur einen kleinen Aspekt von Kurts jenseitigem Sein dar. Zeit strukturiert dieses Sein nicht. Vergangenheit, Gegenwart, Zukunft existieren dort nebeneinander. Zeit ist eine menschliche Anschauungsform und beschränkt nur unsere irdische Existenz. Es verhält sich ähnlich wie mit der Raupe, die nur kriechen kann und ihre spätere Existenz als Schmetterling nicht verstehen kann. Der Tod gleicht der Verpuppung. Danach wird das Irdische abgesprengt. Das Jenseits ist frei von diesen Einschränkungen, wenn man nicht absichtlich in sie eintauchen will. Ebenso verhält es sich mit dem Raum und den Kategorien unseres Denkens.

Denken ist dort nicht nötig. Stattdessen herrscht vollständiges Wissen, gipfelnd in der Erkenntnis Gottes. Diese Erkenntnis besteht nicht nur in einem Schauen, sondern in einem wahrhaftigen Überflutet-Werden des ganzen erkennenden Wesens durch die Erkenntnis. Ein ewigwährendes Erlebnis.

Wird das ewige Frohlocken nicht irgendwann langweilig werden, wie schon Ludwig Thomas „Münchner im Himmel" beklagt hat? Dagegen gibt es ein Rezept: Die Teilhabe an Raum und Zeit ist ein Aspekt jenes Daseins, der nach Belieben ge-

lebt werden kann, und nie langweilig wird.
Wer weiß: Vielleicht ist der eine oder andere von uns hier nur zu Besuch …

Wir können es nicht wissen. Wir können
nur nach Wissen streben.

Dort drüben wird Wissen nicht gesucht,
sondern genossen. Wissen wiederum ist
nichts im Vergleich zu Gefühlen. Die gemeinsamen Gefühle sind es, denen man
sich dort widmet.

Das Verströmen und Empfangen von
Liebe, die alles erhellt, stellt eine zeitlose
Glückseligkeit dar, derer alle teilhaftig
werden dürfen.